nivel **B1** audiolibro **colección gran**

Che

GEOGRAFÍAS
DEL CHE

COLECCIÓN GRANDES PERSONAJES

Autor: Daniel Cabrera
Coordinación editorial: Clara de la Flor
Supervisión pedagógica: Emilia Conejo
Glosario y actividades: Emilia Conejo
Diseño y maquetación: rosacasirojo
Corrección: Rebeca Julio
Ilustración de portada: Joan Sanz
Fotografías:
© Jesús García Marín
© Roberto Salas. VEGAP, Madrid, 2011
Locución: Luis García Márquez

© Difusión, Centro de Investigación y Publicaciones de Idiomas, S.L., 2011
ISBN: 978-84-8443-767-3
Depósito legal: B-9370-2012
Reimpresión: marzo 2012
Impreso en España por T. G. Soler
www.difusion.com

Che

GEOGRAFÍAS DEL CHE

Índice

Ernesto Guevara en 1939 / Roberto Salas

Ernesto Guevara

Revolucionario

«Hasta la victoria siempre»

pista 01

Prólogo. El hombre invisible[1]

Los 15 soldados esperan en posición de firmes[2], sin moverse. Por fin van a conocer a su comandante[3], el hombre que estará al mando del[4] grupo en una importante misión secreta. Hace dos semanas que llegaron a esta finca[5] perdida en la provincia de Pinar del Río, en el oeste de Cuba. Aquí han seguido un entrenamiento[6] militar para una misión de la que no saben todavía ningún detalle.

Llega el hombre al que todos llaman respetuosamente[7] «doctor». El doctor no es muy alto; es calvo; lleva gafas; fuma en pipa[8]. No lleva uniforme militar, sino un traje de estilo francés. Camisa blanca, corbata, zapatos caros. Se llama Ramón y es gallego. Los soldados no esperaban a alguien así. Se sienten decepcionados[9]. ¿Tendrán que luchar a las órdenes de un oficinista[10]?

Ramón saluda a los 15 hombres, les da la mano uno a uno. «Mucho gusto, Ramón», se presenta. Cuando le preguntan qué le parecen los hombres, el gallego responde con desprecio[11]: «Me

---

GLOSARIO

[1] **invisible**: que no se puede ver [2] **en posición de firmes**: postura que consiste en estar de pie, con las piernas juntas e inmóvil [3] **comandante**: cargo militar [4] **estar al mando de**: dirigido por [5] **finca**: casa de campo [6] **entrenamiento**: (aquí) prácticas, preparación para la lucha [7] **respetuosamente**: con respeto [8] **pipa**: utensilio para fumar formado por un tubo que termina en un recipiente en el que se coloca y enciende el tabaco [9] **decepcionado**: desilusionado, frustrado [10] **oficinista**: persona que trabaja en una oficina [11] **desprecio**: desdén, falta de aprecio

10

parecen todos unos comemierdas[12]. Los soldados, nerviosos ante el insulto[13], no dicen nada, hasta que uno de ellos empieza de pronto a reírse. Ha reconocido la voz de Ramón. Es una voz que conoce muy bien. «¡Muchachos[14], es el Che!», grita. El doctor se quita las gafas, la corbata y la camisa blanca; se pone su vieja camisa de color verde olivo[15] y su gorra militar. Sonríe. Ramón, el gallego, se ha transformado en Ernesto, el argentino, el comandante Che Guevara.

Esta escena es de agosto de 1966. Los 15 soldados de Pinar del Río, dirigidos por Guevara, van a formar una guerrilla en Bolivia a partir del mes de noviembre. Quieren provocar una revolución en el país andino para derrocar[16] al presidente René Barrientos, a quien acusan de estar a las órdenes de Estados Unidos.

Los soldados son optimistas. Su comandante es el gran Che Guevara, héroe de la Revolución cubana y número 2 de Fidel Castro; aunque, en realidad, en 1966 el Che ya no es parte del Gobierno cubano: desde hace casi dos años, el comandante argentino ha desaparecido. Nadie sabe dónde está. Medios de comunicación de distintos países han publicado algunos rumores[17]: que está en Argelia, en Argentina, e incluso[18] que ha muerto luchando en algún lugar lejano. Ninguno de los rumores es cierto.

En octubre de 1965, mientras el Che estaba en África, Fidel Castro lee ante las cámaras de televisión una carta de Guevara en la que este se despide del pueblo cubano. Según la carta, el Che lo deja todo para extender la revolución a otras partes del mundo. «Hasta la victoria siempre», termina la emocionante[19] despedida. Desde entonces, nada. Ninguna noticia del comandante.

Sin embargo, aquí está, los soldados lo tienen delante: el Che está vivo y sonríe. La pequeña representación teatral de Ramón, el

---

GLOSARIO

[12] **comemierda**: (vulgar) persona despreciable [13] **insulto**: palabra con la que se provoca o molesta a otra persona [14] **muchacho**: chico [15] **olivo**: árbol cuyo fruto es la aceituna [16] **derrocar**: vencer, provocar la caída de un gobernante [17] **rumor**: afirmación no confirmada que circula entre la gente [18] **incluso**: hasta, aun [19] **emocionante**: que causa emoción

gallego, no es una broma²⁰ para divertir a los soldados: los servicios secretos cubanos han creado este disfraz²¹ para el Che, que debe entrar en Bolivia en secreto. Para comprobar la eficacia del disfraz han engañado²² a los guerrilleros, y algunos de ellos conocen muy bien a Guevara. El disfraz ha funcionado: ninguno pensó que el señor Ramón era en realidad el Che Guevara.

El 23 de octubre de 1966 el Che, con este disfraz, se hace pasar por un funcionario cubano que viaja a Praga en misión oficial. En Praga ya no es cubano: se llama Ramón Benítez y es un uruguayo que viaja a Viena. De Viena viaja a París con una nueva identidad: Adolfo Mena, también uruguayo. Finalmente, en París toma un vuelo a São Paulo, y Adolfo Mena viaja hacia La Paz. El 3 de noviembre, el uruguayo miope²³, calvo y bien vestido aterriza en La Paz. Nadie sospecha²⁴.

Cuatro días después, el Che se reúne con sus hombres en una finca vacía en el oriente boliviano, cerca del río Nancahuazú. Solo entonces se quita las gruesas gafas, el traje, la corbata y los zapatos, y se pone de nuevo su gorra y su camisa verde olivo. Recupera²⁵ su aspecto habitual, pero no su nombre: en Bolivia sigue siendo Ramón. Nadie debe conocer su verdadera identidad. Incluso sus hombres están obligados a utilizar el nombre en clave. Su presencia en Bolivia es alto secreto, y así será hasta el día de su ejecución²⁶.

El 9 de octubre de 1967, un batallón²⁷ del Ejército boliviano entrenado por la CIA apresa²⁸ al Che, que lleva días escondido junto con sus hombres sin comer ni beber. Lo quieren ejecutar en el pueblo de La Higuera por orden directa de Barrientos. El Che muere siendo un hombre invisible. Solo recupera su nombre cuando lo matan.

GLOSARIO

²⁰ **broma**: burla, algo que se hace o dice para causar diversión ²¹ **disfraz**: traje por el cual una persona esconde su identidad y toma la de otra ²² **engañar**: hacer creer a otros algo que no es verdad ²³ **miope**: persona que sufre miopía (una enfermedad de la vista) ²⁴ **sospechar**: desconfiar o dudar ²⁵ **recuperar**: volver a tener algo que se había perdido o abandonado ²⁶ **ejecución**: matar a un prisionero o reo ²⁷ **batallón**: unidad militar formada por varias compañías ²⁸ **apresar**: hacer a alguien prisionero, privar de libertad

Grafiti del Che Guevara en Cancún (México) / Jesús García Marín

1. Las montañas de Córdoba

«No tuve preocupaciones sociales en mi adolescencia»

Ernestito tiene dos años y espera a su madre, que se está bañando en la playa. El niño lleva solo un traje de baño y tiene frío. Es otoño en Argentina y sopla un viento fuerte que viene del sur, de la Patagonia. A este viento en Buenos Aires lo llaman sudestada. La madre de Ernestito nada tranquilamente a unos metros de su hijo. Este empieza a tiritar[1].

Celia y Ernesto: los padres del Che

Sobre las aguas marrones del río Paraná navega un barco a vapor[2]. El Paraná es el segundo río más grande de Sudamérica después del Amazonas. Nace en Brasil y muere casi 4000 km después, en el Río de la Plata. A un lado del Río de la Plata está Montevideo; al otro, Buenos Aires. El barco realiza un largo recorrido[3]: una semana de viaje para llegar desde la provincia de Misiones, en el nordeste del país, hasta Buenos Aires, la capital argentina.

En este vapor viajan Celia y Ernesto. Ernesto Guevara Lynch, el futuro padre del Che, tiene 27 años; Celia de la Serna y Llosa, su futura madre, 21. Se conocieron hace dos años; hace seis meses se

---

GLOSARIO

[1] **tiritar**: temblar [2] **barco a vapor**: barco que se mueve gracias a la acción de máquinas de vapor [3] **recorrido**: trayecto, ruta

casaron. Cuando se celebró la boda, Celia ya estaba embarazada[4]. Mientras navegan por el Paraná, la enorme panza[5] de Celia indica que su primer hijo va a nacer pronto. Esta es la razón por la que la joven pareja viaja a Buenos Aires: esperan tener el niño en la capital de Argentina, donde vive la familia de los dos. Después volverán con su hijo a la casita de madera que Ernesto ha hecho construir cerca de Puerto Caraguatay, en la provincia de Misiones.

El vapor se detiene en Rosario de Santa Fe, la segunda ciudad más grande de Argentina. Celia y Ernesto deciden pasar allí unos días para descansar del largo viaje antes de tomar el siguiente vapor hasta Buenos Aires. Pero el niño no espera: el 14 de junio de 1928 nace en Rosario el primer hijo de los Guevara de la Serna. Como es costumbre, el hijo primogénito[6] se llama igual que su padre: Ernesto, aunque pronto empezarán a llamarlo Ernestito.

El yerbal[7] de Misiones

Misiones: una de las provincias más lejanas de Argentina. Allá en el noreste, a más de 3000 km de Buenos Aires, Misiones es un territorio situado entre Paraguay y Brasil. En la frontera entre los tres países están las cataratas de Iguazú, uno de los lugares más bellos del mundo. Misiones es la zona más húmeda[8] de Argentina, cubierta en buena parte por vegetación de selva tropical.

Antes del nacimiento de su primer hijo, Ernesto Guevara Lynch compró un terreno en Misiones para cultivar yerba mate. Ernesto y Celia se marcharon de Buenos Aires para dedicarse a este negocio. Dejaron atrás la gran ciudad, donde Ernesto estudiaba arquitectura y Celia planeaba entrar en un convento de monjas[9]. Como en una novela romántica, se enamoraron locamente y deci-

---

GLOSARIO

[4] **embarazada**: mujer que va a tener un hijo [5] **panza**: barriga, normalmente abultada [6] **primogénito**: primer hijo de una familia [7] **yerbal**: plantación de yerba mate [8] **húmedo**: (aquí) que llueve mucho [9] **monja**: mujer que pertenece a una orden religiosa y dedica su vida a ella

dieron escapar de la capital para empezar una nueva vida juntos en el lugar más lejano posible.

Sin embargo, la aventura de Misiones no salió como Ernesto y Celia esperaban. La plantación de yerba mate no daba los beneficios esperados y, cuando Ernestito tenía un año y medio de edad, la familia decidió regresar a Buenos Aires, donde Ernesto padre (el abuelo de el Che) dirigía otro negocio: un astillero[10]. No estuvieron mucho tiempo en la capital porque Ernestito empezó a sufrir asma[11]. El clima de Buenos Aires empeoraba[12] la salud del niño. Los padres estaban dispuestos a[13] cualquier sacrificio por su hijo mayor. «El médico indicó que el lugar adecuado para él era Alta Gracia, Córdoba», escribió Ernesto Guevara en su libro *Mi hijo el Che*. Allí se mudaron los Guevara de la Serna en 1933.

El protegido[14]

El niño se ahogaba[15]: no podía respirar. El asma de Ernestito empezó un día de otoño de 1931. Su madre, Celia, lo llevó a bañarse a un club deportivo de Buenos Aires. Ernestito empezó a tiritar de frío. Unas horas después tuvo su primer ataque de asma. Celia y Ernesto lo llevaron rápidamente a ver a un médico vecino de la familia en Buenos Aires. Fue solo el primero de una larga lista de doctores que trataron de curar el asma de Ernestito, sin éxito. «Durante los dos años que siguieron le hicimos todos los tratamientos posibles», escribió Ernesto Guevara Lynch. Ningún tratamiento funcionó: Ernestito iba a sufrir ataques de asma el resto de su vida. La enfermedad le cortaba la respiración cuando realizaba cualquier esfuerzo físico.

Desde niño, luchó contra su enfermedad con todas sus fuerzas. El asma marcó su vida: cada día era una batalla para Ernesto. Se

[10] **astillero**: lugar donde se construyen y reparan barcos [11] **asma**: enfermedad respiratoria [12] **empeorar**: ir a peor [13] **estar dispuesto a**: tener la intención de [14] **protegido**: persona a la que se cuida para que no sufra peligro [15] **ahogarse**: no poder respirar

enfrentaba a la enfermedad como a un enemigo al que se podía vencer. Esta lucha contra sí mismo lo hizo diferente. Era capaz de enfrentarse a cualquier obstáculo y superarlo. A cambio, se convirtió en una persona que se exigía tanto a sí mismo como exigía a los demás; era incapaz de comprender y aceptar los errores y debilidades de quienes lo rodeaban. El Che Guevara, a pesar de ser un líder, fue siempre un hombre solitario e incomprendido.

La familia Guevara de la Serna vivió en Córdoba desde que el niño tenía cuatro años hasta que cumplió los 19. Ernestito pasó su niñez y adolescencia[16] explorando las montañas de la sierra cercana a Alta Gracia. Aquí se formó su particular carácter. Este es el sitio en el que siempre pensaba con nostalgia cuando recordaba Argentina. Cuando la familia se instaló aquí, la enfermedad del primogénito pareció mejorar, pero fue solo un espejismo[17]: los ataques volvían con frecuencia, y la familia tuvo que aceptar que el asma de Ernestito era incurable[18].

El asma marcó la vida de la familia durante los primeros años en Córdoba. Curar al niño se convirtió en la obsesión de los padres. Hasta que Ernestito cumplió nueve años, probaron todo tipo de tratamientos e intentaron proteger a su hijo obligándolo[19] a quedarse en casa todo el día. Ernestito no iba a la escuela y no jugaba con otros niños en la calle. Celia, su madre, era su maestra: le enseñó a leer y a escribir. En estos años se creó una relación muy especial entre madre e hijo. Cuando Ernesto, años después, viajó por el mundo, le escribió largas cartas a su vieja («madre» en Argentina) en las que le contaba todo lo que veía y sentía. Ya como dirigente de la Revolución cubana, su madre viajó a menudo a La Habana e incluso lo acompañó[20] en algún viaje oficial.

Pero todo cambió un día. Ernestito tenía nueve años y Celia decidió que no podía seguir aislado durante más tiempo. Sus

---

GLOSARIO

[16] **adolescencia**: edad posterior a la niñez y previa a la edad adulta [17] **espejismo**: ilusión, algo que parece real, pero no lo es [18] **incurable**: que no se puede curar [19] **obligar**: forzar a hacer algo [20] **acompañar**: ir con alguien

ataques de asma eran terribles y no había cura posible, pero no servía de nada lamentarse[21]. Ernestito tendría que aprender a vivir con su enfermedad. Así que empezó a ir a la escuela, a subirse a los árboles, a escalar[22] rocas, a jugar al fútbol con sus compañeros de colegio. Era un niño inteligente, alegre, travieso[23] y con gran capacidad de liderazgo[24]. Su asma no mejoró, pero tampoco empeoró. Seguía teniendo duros ataques que lo obligaban a pasar varios días en cama, pero en cuanto se recuperaba, volvía a forzar su cuerpo hasta el límite.

Una familia de izquierdas

Los años treinta, el período de entreguerras estuvo marcado por la crisis económica de 1929 y la formación de los bandos[25] que se enfrentaron en la Segunda Guerra Mundial a partir de 1939. Mientras Benito Mussolini establecía un régimen fascista en Italia y Adolf Hitler tomaba el poder en Alemania, en 1936 estalló la Guerra Civil española. Ante la guerra española, el mundo se dividió entre los que apoyaban[26] a uno u otro bando. Los Guevara de la Serna conocieron a varias familias de españoles republicanos exiliados en Argentina. Ellos eligieron rápidamente estar al lado del bando de los republicanos españoles, que más tarde perdió la guerra ante el general Franco. En esta época, Ernestito jugaba con sus amigos a «la guerra de España»: los niños formaban dos grupos y peleaban entre sí: unos eran republicanos y otros franquistas. Ernestito estaba entre los primeros.

En 1939 estalló la Segunda Guerra Mundial. Los niños seguían jugando al mismo juego, pero ahora se dividían entre aliados y potencias del eje. Argentina se mantuvo neutral durante el conflicto, aunque sus dirigentes mostraban ciertas simpatías por el

---

GLOSARIO

[21] **lamentarse**: quejarse [22] **escalar**: trepar, subirse a [23] **travieso**: inquieto, juguetón, pícaro [24] **liderazgo**: condición de líder, habilidad para llevar el mando [25] **bando**: parte o facción en una guerra [26] **apoyar**: estar a favor de

nazismo alemán. En 1943, un sector pronazi del Ejército argentino dio un golpe de Estado y tomó el poder.

En estos años, la mayor parte de la población argentina vivía en una situación cercana a la pobreza: había una gran masa de campesinos sin recursos económicos que emigraron a Buenos Aires para encontrar trabajo como obreros industriales. Este nuevo proletariado exigía una mejora de sus condiciones sociales a través de los sindicatos[27]. El movimiento sindical lo aprovechó el coronel Juan Domingo Perón, que tenía la habilidad[28] de decir a todo el mundo lo que quería oír. Consiguió el apoyo de los obreros, de la Iglesia y hasta de las clases altas. En febrero de 1946, Perón ganó las elecciones a la presidencia del país. Hasta 1955, el peronismo fue el régimen político en Argentina. El país quedó dividido en peronistas y antiperonistas. Estos últimos fueron perseguidos[29] por el régimen, particularmente los comunistas.

Cuando Perón llegó al poder, Ernesto era un joven de 17 años. Su familia se había marchado de Alta Gracia a la ciudad de Córdoba. Siguiendo las opiniones de sus padres, Ernesto era contrario al peronismo. Pero no era, ni mucho menos, un activista político. Él mismo lo reconoció[30] muchos años después en una entrevista: «No tuve preocupaciones sociales en mi adolescencia, ni participé en las luchas políticas o estudiantiles de Argentina».

GLOSARIO

[27] **sindicato**: asociación que lucha por la defensa de los derechos de los trabajadores
[28] **habilidad**: destreza, capacidad, talento [29] **perseguir**: (aquí) reprimir, castigar [30] **reconocer**: (aquí) admitir

2. Mi Buenos Aires querido

> *«El alma del pueblo está reflejada en los enfermos de los hospitales»*

Ayno!

En el invierno de 1935 ocurrió una gran tragedia en Argentina: el avión en el que viajaba Carlos Gardel, el Zorzal Criollo, se estrelló¹ en Medellín (Colombia). El más grande de los tangueros argentinos murió en el mejor momento de su carrera. Menos de un año antes, Alfredo Le Pera y Gardel habían escrito una de sus canciones más populares: el tango *Mi Buenos Aires querido*.

Cuando Ernesto se fue a vivir a la capital argentina, en 1947, Buenos Aires ya no era la ciudad que describían los tangos de los años treinta. Los arrabales (los barrios pobres de las afueras donde había surgido el tango) estaban ahora tan superpoblados que habían perdido el nostálgico romanticismo que inspiraba a los tangueros. Durante los años cuarenta, a Buenos Aires se la empezó a comparar con grandes urbes como Nueva York, México DF o São Paulo. Más de un tercio de la población de Argentina vivía en la capital.

La gran masa de obreros industriales emigrados del campo a la ciudad era la base del poder de Perón, presidente desde 1946. Tras la Guerra Mundial, el nuevo presidente creía que Argentina tenía una gran oportunidad económica para exportar

creían contarlos

todos viven en la capital

la ciudad

GLOSARIO

¹ **estrellarse**: chocarse violentamente contra una superficie dura

20 productos alimenticios, por lo que fomentó el desarrollo industrial y la agricultura. El nuevo Gobierno tenía negocios con la Unión de Repúblicas Socialistas Soviéticas (URSS), lo que provocó la ira[2] de Estados Unidos. Se nacionalizó[3] el ferrocarril[4], se extendió la cobertura[5] de la sanidad pública y en 1947 se igualaron en Argentina los derechos entre hombres y mujeres. Tras una campaña liderada por Eva Perón, a quien todos llamaban Evita, se aprobó el sufragio femenino[6]. Mientras tanto, en las escuelas, los niños aprendían a leer con frases como «¡Viva Perón!» o «Perón y Evita nos aman».

Buenos Aires vivió grandes cambios a finales de los años cuarenta. También la vida de Ernesto, que tenía entonces 18 años, cambió. Había decidido estudiar la carrera de Medicina y se entregó a los estudios con su ímpetu[7] habitual. A veces se pasaba hasta 14 horas al día estudiando solo en la biblioteca, pero aún encontraba tiempo para ganar algo de dinero con todo tipo de trabajos, jugar al ajedrez[8] y al *rugby*, y leer.

Romeo y Chichina

Aunque Ernesto estaba muy integrado en la vida urbana de Buenos Aires, viajaba a menudo a Córdoba, donde aún estaban muchos de sus amigos y, sobre todo, donde estaban sus queridas montañas azules. En la primavera de 1950 viajó con su familia para asistir a una boda. Durante la fiesta, un cruce de miradas[9] lo cambió todo: Ernesto se enamoró de Chichina, una chica de 16 años que pertenecía a una familia rica de Córdoba.

Ernesto era guapo, inteligente, culto y muy distinto de los chicos de clase alta de Córdoba. Sabía moverse en un ambiente de

---

GLOSARIO

[2] **ira**: rabia, indignación [3] **nacionalizar**: acción por la cual empresas privadas pasan a depender del Estado [4] **ferrocarril**: red de trenes de un país [5] **cobertura**: (aquí) extensión, cantidad de personas que pueden disfrutar de un servicio [6] **sufragio femenino**: derecho a voto de las mujeres [7] **ímpetu**: impulso, energía [8] **ajedrez**: juego que se juega entre dos personas con un tablero de cuadros blancos y negros y 16 piezas [9] **cruce de miradas**: momento en que dos personas se miran la una a la otra

familia rica, pero siempre iba vestido de cualquier manera, e incluso pasaba varios días seguidos sin ducharse. A pesar de eso (o quizás gracias a eso), siempre tuvo éxito con las mujeres. Chichina se sintió rápidamente atraída por[10] la singular personalidad de Ernesto. Este le hablaba de filosofía y de literatura. Le contaba anécdotas del viaje que unos meses antes había hecho solo, conduciendo una bicicleta con un pequeño motor por el norte de Argentina. Chichina se sentía fascinada por este extraño Romeo, que rápidamente le propuso que se casara con él y se fueran juntos a cualquier parte lejos de la familia de Chichina en Córdoba. La historia se repetía: Ernesto quería hacer lo mismo que habían hecho sus padres 20 años antes.

El primer viaje
La noche del 1 de enero de 1950, mientras Buenos Aires duerme después de la fiesta de Año Nuevo, un joven de 21 años recorre las calles de la ciudad en un extraño vehículo. Se trata de un velomotor, una bicicleta en la que no hay que pedalear[11] pues le han instalado un pequeño motor. Puede alcanzar los 30 km/h. Su destino[12]: el norte. Cuanto más lejos, mejor.

Es el primero de los tres grandes viajes sudamericanos del Che Guevara. Durante dos meses recorre más de 4000 km en su peculiar bicicleta motorizada. En su recorrido por Argentina llega hasta Jujuy, cerca de la frontera con Bolivia, para luego ir hacia el sur y llegar hasta Mendoza, donde vive una de sus tías. Después, vuelve a Buenos Aires, de donde partió.

Este es un viaje solitario de un joven con sed de aventura. Ernesto es un barbudo[13] que duerme al aire libre[14] o bajo puentes, y que anota en su diario poemas y reflexiones sobre los paisajes y la gente que conoce.

GLOSARIO
[10] **sentirse atraído por**: interesarse por [11] **pedalear**: mover un vehículo al hacer presión con las piernas sobre sus pedales [12] **destino**: objetivo, dirección [13] **barbudo**: hombre con barba [14] **al aire libre**: en la naturaleza, en un lugar descubierto

Desde Buenos Aires llega a Córdoba, donde lo espera su amigo Alberto Granado. Tras pasar unos días allí, continúa su viaje por las provincias más pobres del país: Santiago del Estero, Tucumán, Salta y Jujuy. El noroeste argentino es una zona poblada por gauchos, agricultores y ganaderos[15]. Los gauchos, una mezcla entre campesino y *cowboy*, representan la Argentina profunda. Son gente sencilla[16] que vive en contacto con la naturaleza. Ernesto charla con muchos de ellos, quiere conocer sus costumbres y su forma de vida. Los gauchos le interesan tanto o más que el magnífico paisaje. No se considera a sí mismo un turista. Desprecia los monumentos de las ciudades que visita: «No se conoce así un pueblo», escribe en su diario. Opina, por el contrario, que el alma del pueblo «está reflejada en los enfermos de los hospitales, los asilados[17] en la comisaría o el peatón[18] ansioso[19] con quien se intima[20]».

La revista *El Gráfico* publica en marzo de 1950 un anuncio de la empresa fabricante de motores Micrón. «Solidez[21] y eficiencia» dice el eslogan publicitario. La empresa, tras conocer los detalles de su extraña aventura motorizada, ofrece a Ernesto, de nuevo en Buenos Aires, publicar el anuncio. En él aparece una foto del joven Ernesto con boina[22] y gafas de sol sobre su bicicleta. Debajo, una carta del «señor Ernesto Guevara de la Serna», explicando que durante su recorrido de casi 4500 km por el noroeste de Argentina, el motor Micrón que instaló en su bicicleta «ha funcionado a la perfección».

GLOSARIO

[15] **ganadero**: persona que cría ganado (vacas, ovejas, etc.) y se gana la vida con él [16] **sencillo**: sin complicaciones [17] **asilado**: ingresado, detenido [18] **peatón**: persona que camina por la calle [19] **ansioso**: nervioso [20] **intimar**: establecer una relación personal con alguien [21] **solidez**: firmeza, seriedad [22] **boina**: tipo de gorra que es característico del Che Guevara

«Adiós, muchachos»

En 2004 el director brasileño Walter Sales rodó la película *Diarios de motocicleta*, que se pudo ver en los cines de todo el mundo. Desde entonces, las aventuras de Ernesto Guevara y Alberto Granado en su gran viaje sudamericano se han hecho famosas. Alberto y Ernesto partieron de Córdoba el 29 de diciembre de 1951. Su objetivo era llegar hasta Caracas (Venezuela) recorriendo de sur a norte Argentina, Chile, Perú y Colombia. Hicieron parte del viaje sobre la Poderosa II, la moto de Granado.

La idea del viaje había sido de Alberto. Lo planeaba desde hacía varios años. Granado, uno de los mejores amigos de Ernesto desde que vivía en Alta Gracia, tenía un buen trabajo en una farmacia de Córdoba, pero sentía que su destino no era ser un burgués[23] acomodado[24], sino un trotamundos[25]. Ernesto estaba en su último año de universidad, pero por nada del mundo[26] se perdería la aventura que le proponía Granado. La licenciatura[27] en Medicina podía esperar.

El viaje con Granado duró ocho meses. Cuando Ernesto volvió a Buenos Aires en septiembre de 1952, algo había cambiado en él. Regresó para terminar la carrera de Medicina, pero para él los estudios habían perdido todo interés. Solo quería licenciarse para poder viajar de nuevo. Ernesto quería ir a Bolivia, el país más pobre de Sudamérica. En los últimos diez meses que pasó en Buenos Aires, Ernesto logró aprobar[28] las 30 asignaturas que tenía pendientes[29]: una auténtica proeza[30]. El 1 de junio de 1953 ya era oficialmente doctor en Medicina. Seis días después, Ernesto se marchó de Buenos Aires.

GLOSARIO

[23] **burgués**: que pertenece a la burguesía [24] **acomodado**: que tiene recursos económicos [25] **trotamundos**: persona aficionada a viajar y recorrer países [26] **por nada del mundo**: en ningún caso, bajo ninguna circunstancia [27] **licenciatura**: título que se obtiene al terminar algunos estudios universitarios [28] **aprobar**: superar un examen [29] **pendiente**: que hay que hacer o (en este caso) aprobar [30] **proeza**: hazaña, acto heroico

24

En la estación de tren Retiro, Ernesto y su amigo Carlos Ferrer, Calica, subieron al tren que estaba a punto de[31] partir hacia La Paz. Su familia y sus amigos los observaban desde el andén[32], gritando palabras de despedida. El tren se puso en marcha[33]. Celia, la madre de Ernesto, salió corriendo detrás con lágrimas en los ojos. «¡Aquí va un soldado de América!», le gritó Ernesto cuando el tren estaba a punto de desaparecer de la estación. Tal vez, viendo cómo su familia y sus amigos se quedaban en el andén, Ernesto recordó unos versos de otro de los grandes tangos de Gardel: «Adiós, muchachos, compañeros de mi vida / barra[34] querida de aquellos tiempos. / Me toca a mí hoy emprender la retirada[35]...». Esta vez se marchaba para siempre.

GLOSARIO

[31] **estar a punto de**: faltar muy poco tiempo para [32] **andén**: en una estación, acera a lo largo de la vía donde esperan los viajeros para subir al tren [33] **ponerse en marcha**: ponerse en movimiento [34] **barra**: (en Argentina) grupo duradero de amigos que comparten intereses comunes y suelen ir a los mismos lugares [35] **emprender la retirada**: irse, abandonar un lugar

3. Recorriendo América

> «Ese vagar sin rumbo por nuestra 'Mayúscula América' me ha cambiado más de lo que creí»

«**M**i sino[1] es viajar». Ernesto Guevara escribió esta frase en San Martín de los Andes, a punto de salir por primera vez de Argentina hacia Chile. Viajar siempre excitó la imaginación de Ernesto, pero durante su ruta por Sudamérica convirtió su deseo de conocer otras tierras en algo más: el viaje se había convertido para él en una necesidad y en una forma de vida.

Lo que le interesaba al joven Ernesto de la experiencia viajera no era, ya lo sabemos, visitar monumentos y lugares turísticos, o poner una banderita[2] en el mapa del mundo por cada lugar que visitaba. Su padre, Ernesto Guevara Lynch, lo explicó en su libro *Mi hijo el Che*: «Ernesto viajaba para empaparse[3] en la miseria[4] humana presente en cada recodo[5] de las sendas[6] que recorrería y para investigar las causas de esa miseria. Sus viajes serían los de un investigador social que camina para comprobar, pero también para tratar de aliviar[7] en lo posible el dolor humano».

Ernesto se transformó en otra persona durante la ruta. No era el mismo Ernesto el que regresó ocho meses después a Buenos Aires para terminar la carrera de Medicina. En el primer capítulo

---

GLOSARIO

[1] **sino**: destino, misión [2] **bandera**: trozo de tela con los colores oficiales de un país [3] **empapar(se)**: mojar(se) completamente [4] **miseria**: pobreza extrema [5] **recodo**: curva en un camino [6] **senda**: camino [7] **aliviar**: hacer disminuir un sufrimiento o mejorar una enfermedad

de *Notas de viaje*, el libro en el que publicó parte de su diario, escribió: «Ese vagar[8] sin rumbo por nuestra "Mayúscula América" me ha cambiado más de lo que creí».

Dos hombres y una moto

En el enorme paisaje de la pampa argentina, la eterna llanura[9] que domina el centro del país, la carretera es una recta que se dirige hacia la línea del horizonte. Dos hombres sobre una vieja motocicleta, la Poderosa II, van a toda velocidad[10] por este paisaje tan puro. La poética escena parece perfecta… hasta que la moto derrapa[11] en una curva llena de arena, y Alberto y Ernesto se caen al suelo. Comprueban que no están heridos, revisan la moto. Vuelven a colocar sus maletas y a montar en el vehículo. Llega la siguiente curva… y de nuevo al suelo. Y así, hasta nueve veces en un solo día.

La Poderosa II resultó ser el peor medio de transporte posible para los viajeros: cada pocos kilómetros se caían y había que hacer alguna reparación. Alberto Granado era un auténtico artista del alambre[12]. Le gustaba decir: «En cualquier lugar que un alambre pueda reemplazar a un tornillo[13], yo lo prefiero; es más seguro». Pero mientras la Poderosa pudo circular, siguieron adelante.

La primera parada del gran viaje fue Miramar, una ciudad a orillas del océano Atlántico, 500 km al sur de Buenos Aires. Pero Miramar no estaba de camino a Caracas, su destino final. ¿Por qué fueron allí Alberto y Ernesto? Por supuesto, porque allí estaba Chichina. Ernesto no podía partir sin despedirse. Durante la semana que pasó en Miramar, Ernesto pensó en renunciar[14] al viaje, volver a la universidad y buscar un trabajo si Chichina se casaba con él, pero ella lo dejó marchar. Un mes después, a miles de kilómetros

GLOSARIO
[8] **vagar**: andar sin rumbo fijo [9] **llanura**: superficie de tierra llana [10] **a toda velocidad**: muy rápidamente [11] **derrapar**: resbalar un vehículo y desviarse hacia un lado [12] **alambre**: hilo de metal [13] **tornillo**: pieza cilíndrica normalmente de metal que se enrosca en un agujero para unir dos partes [14] **renunciar a**: prescindir de algo voluntariamente

de distancia, Ernesto recibió una carta. Chichina había decidido *breaks up* romper la relación. Solo quedaba seguir adelante con su viaje.

Desde Miramar, Alberto y Ernesto cruzaron Argentina de este a oeste hasta llegar a los Andes, las impresionantes montañas que cortan de sur a norte Sudamérica. *los Andes* En San Martín de los Andes, escalaron un glaciar y se maravillaron con los paisajes de la Patagonia. Un mes y medio después del inicio del viaje, cruzaron la frontera chilena por el lago Nahuel Huapi (lago Esmeralda). Pasaron en Chile casi un mes y medio. El viaje siguió hacia Valparaíso, pero la Poderosa II empezaba a estar agotada[15]. Los alambres de Alberto no siempre eran suficientes: había que llevar la moto a un taller mecánico. *poder mechanic*

Como no tenían dinero, Alberto y Ernesto utilizaban su imaginación y la famosa labia[16] argentina para conseguir reparar la moto gratis. También recurrían a sus habilidades para encontrar un lugar donde dormir, para que los invitaran a comer o a beber, etc. A pesar de que Ernesto aún no había terminado la carrera de Medicina y Alberto era bioquímico, se hicieron pasar por[17] importantes doctores expertos en lepra[18]. Con este cuento[19] intentaban impresionar y obtener ayuda de las personas que iban conociendo.

La Poderosa II se apagó definitivamente, así que Alberto y Ernesto continuaron el viaje haciendo autoestop[20] hasta Santiago de Chile, y de allí siguieron a Valparaíso. Aquí lograron colarse[21] *hitch* sin ser vistos en un barco que viajaba a Antofagasta, en el norte de Chile. Alberto y Ernesto se escondieron en un cuarto de baño. *Santiago* Unas horas después, cuando el barco estaba en alta mar[22], salieron de su escondite y sorprendieron a los marinos. El capitán del barco los obligó a pelar patatas y a limpiar los váteres, pero a cambio[23] *Valparaíso* viajaron gratis a Antofagasta.

[15] **agotado**: (aquí) al final de su capacidad [16] **labia**: elocuencia y gracia en la forma de hablar [17] **hacerse pasar por**: tomar la identidad de [18] **lepra**: enfermedad infecciosa que produce lesiones en la piel [19] **cuento**: historia falsa, mentira [20] **hacer autoestop**: viajar por carretera solicitando transporte a los coches que pasan [21] **colarse**: introducirse sin permiso y a escondidas [22] **alta mar**: mar adentro [23] **a cambio**: como pago o compensación

Arqueología y medicina

Después de atravesar, en parte a pie, en parte en autoestop, el desierto de Atacama, los viajeros llegaron a Perú. En el sur del país la población estaba compuesta sobre todo por indígenas de las etnias aimara y quechua, estos últimos descendientes de los incas. Recorrieron el lago Titicaca en una barca de totora (juncos[24] típicos de la región), y después partieron hacia Cuzco, «el ombligo del mundo». La cultura inca interesaba tanto a Ernesto y a Alberto que se convirtieron en los turistas que tanto odiaban: durante 15 días se dedicaron a visitar todos los yacimientos arqueológicos[25] del Valle Sagrado, que rodea Cuzco y, por supuesto, el Machu Picchu.

Después de Cuzco siguieron su viaje hasta Lima, capital de Perú, donde visitaron al doctor Pesce, experto en leprología[26] y comunista, a quien Ernesto llamaba cariñosamente «maestro». Pesce les ofreció la posibilidad de trabajar en una leprosería[27] en Lima, y después en San Pablo, un pueblito a 1500 km de Lima, en la selva amazónica. Desde ahí querían continuar viajando hacia Colombia.

En San Pablo, Ernesto celebró su 24 cumpleaños. Pronunció un famoso discurso en el que habló de la hermandad de todas las razas de América Latina, tal y como muestra la película *Diarios de motocicleta*. Su salida de San Pablo es uno de los episodios más sorprendentes del viaje: Alberto y Ernesto construyeron una balsa[28] de madera. La embarcación los llevó por el Amazonas hasta Leticia, una ciudad colombiana en la frontera con Perú y Brasil. Estuvieron poco tiempo en Colombia: lograron llegar a Bogotá después de ganar algo de dinero en Leticia entrenando a un equipo de fútbol. Después de unos días en una Bogotá hostil[29],

---

GLOSARIO

[24] **junco**: planta alargada típica de zonas húmedas [25] **yacimiento arqueológico**: lugar donde se hallan restos arqueológicos [26] **leprología**: rama de la medicina que estudia la lepra [27] **leprosería**: lugar donde se acoge y se trata a enfermos de lepra [28] **balsa**: embarcación sencilla hecha con troncos [29] **hostil**: (aquí) duro, violento

tomada por la policía bajo el régimen del dictador Laureano Gómez, decidieron viajar directamente a Caracas. En la capital de Venezuela a Granado le ofrecieron trabajar en una leprosería en un pueblito de la costa del Caribe. Después de haberse hecho pasar durante meses por expertos en leprología, parece que al menos Alberto Granado iba a convertirse en un experto de verdad. Para Ernesto, llegó el momento del regreso. Se despidió de su amigo en el aeropuerto de Caracas, donde tomó un avión de mercancías[30] a Buenos Aires. La gran aventura había terminado. Pero en realidad no era más que un comienzo.

El tercer viaje: de Bolivia a Guatemala

La Paz, una ciudad imposible, construida a más de 3500 m de altura entre enormes montañas. Al pie del nevado Illimani (6462 m), los bellos edificios coloniales se mezclan con los rascacielos[31]. En los mercados, las cholas (mujeres indígenas) venden fetos de llama y esqueletos de *quirquincho* (armadillo[32]) para hacer rituales en honor a Pachamama. Los *yatiris* (hechiceros) adivinan el futuro lanzando al aire hojas de coca a cambio de unas monedas.

En 1953, Bolivia era el país más pobre de Sudamérica. En el invierno de ese año, cuando Ernesto y su amigo Carlos «Calica» Ferrer llegaron en tren desde Buenos Aires a La Paz, en Bolivia se hablaba de revolución. La agitación política del país se sentía al pasear por la calle. En abril de 1952, el partido Movimiento Nacionalista Revolucionario (MNR) se hizo con el poder. El presidente Víctor Paz Estenssoro aprobó el derecho al voto[33] de todos los bolivianos (hasta entonces estaban excluidos los analfabetos[34] y las mujeres). Además, Estenssoro nacionalizó las

---

GLOSARIO

[30] **avión de mercancías**: avión en el que se transportan objetos, no personas [31] **rascacielos**: edificio muy alto [32] **armadillo**: animal mamífero que tiene el cuerpo recubierto por un caparazón [33] **voto**: sufragio, derecho a participar en elecciones [34] **analfabeto**: que no sabe leer ni escribir

30

minas[35] de estaño[36] y llevó a cabo una reforma agraria[38] por la que se repartió tierra entre los campesinos, que hasta entonces habían sido casi esclavos de los grandes terratenientes. Para Ernesto, sin embargo, todos estos cambios no eran suficientes, pues no modificaban el orden establecido. La Revolución boliviana era interesante, pero no era una revolución de verdad.

Ernesto y «Calica» estuvieron dos meses en Bolivia. Después, continuaron su viaje hacia Ecuador. En la calurosa ciudad de Guayaquil, Ernesto conoció a muchos intelectuales comunistas. Debido en parte a la influencia de uno de ellos, Ricardo Rojo, decidió cambiar sus planes: en lugar de ir a Caracas, donde pensaba reunirse con Alberto Granado, recorrería Centroamérica hasta llegar a Guatemala.

Ernesto quería conocer el país en el que desde 1951 gobernaba Jacobo Arbenz, presidente de izquierdas[39] que estaba intentando llevar a cabo una reforma agraria que limitaba los privilegios de la todopoderosa empresa estadounidense United Fruit Company (UFC). Para Ernesto, la actividad de la UFC era el ejemplo perfecto de la política imperialista de Estados Unidos en América Latina.

La ironía es que Ernesto, gracias a los contactos de su amigo Rojo, consiguió un pasaje gratuito para viajar desde Guayaquil a Panamá precisamente en un barco de la United Fruit Company. Ernesto recorrió Centroamérica: Panamá, Costa Rica, Nicaragua, Honduras y por fin Guatemala, adonde llegó para quedarse el 20 de diciembre de 1953. Antes, en San José, la capital de Costa Rica, había conocido por casualidad[40] a dos cubanos: Calixto García y Severino Rosell. García y Rosell habían participado en el fracasado asalto al cuartel Moncada, el primer intento de Fidel Castro de hacerse con el poder en Cuba.

GLOSARIO

[35] **mina**: excavación de la que se extraen minerales [36] **estaño**: metal plateado y maleable muy utilizado en la industria [37] **llevar a cabo**: realizar, hacer [38] **reforma agraria**: reforma política que se hace para modificar la estructura de propiedad de la tierra [39] **de izquierdas**: que se identifica con la ideología política de la izquierda [40] **por casualidad**: sin planificación previa, por azar

4. «En una de esas frías noches de México...»

«Con un poco de vergüenza te comunico que me divertí como un mono durante estos días»

Diecisiete de junio de 1954, Guatemala: el coronel Castillo Armas da un golpe de Estado contra el Gobierno de Jacobo Arbenz. Arbenz ha hecho un pacto de gobierno con los comunistas. Y, sobre todo, ha recortado los privilegios de la United Fruit Company. La columna[1] de Armas, 600 mercenarios[2] venidos de toda América Latina, ha entrado en Guatemala desde Honduras. Son 600 hombres muy bien armados[3] a quienes apoya la Aviación[4] de Estados Unidos. El Gobierno de Einsehower paga a Armas seis millones de dólares por la operación. El periodista polaco Ryszard Kapuscinski, en su libro *Cristo con el fusil[5] al hombro*, escribe: «La columna recibía órdenes, dictadas por radio desde la capital guatemalteca, del embajador de los Estados Unidos, John Peurifoy. El día de la invasión, Peurifoy se puso un uniforme de color caqui y se colgó al cinto[6] un *colt*».

Ernesto Guevara era un espectador[7] de los acontecimientos, aunque tenía ganas de participar en ellos. Desde que llegó a Ciudad de Guatemala en diciembre de 1953, había conocido a muchos

---

GLOSARIO

[1] **columna**: formación de tropa o de unidades militares que marchan ordenadamente una tras otra [2] **mercenario**: soldado que lucha por diferentes causas o bandos a cambio de dinero [3] **armado**: que lleva armas [4] **aviación**: fuerza aérea [5] **fusil**: arma de fuego que llevan los soldados de infantería [6] **cinto**: cinturón [7] **espectador**: persona que observa

especially

32

posición

comunistas del Partido Guatemalteco de los Trabajadores (PGT). No quiso afiliarse al[8] Partido, pero se consideraba comunista y apoyaba el Gobierno de Arbenz. Cuando estalló el golpe de Estado, Ernesto quiso tomar las armas y, sobre todo, defendió esta postura: los comunistas debían combatir a los mercenarios de Castillo Armas por la fuerza. *—force / dared*

knock

El golpe de Estado del coronel Armas terminó con el primer Gobierno de América Latina que se había atrevido[9], aunque de forma indirecta, a enfrentarse a las empresas y al Gobierno de Estados Unidos. Después de pasar seis meses en Guatemala, Ernesto tuvo que marcharse para escapar de la represión del nuevo Gobierno.

dissenters

Con Castillo Armas como presidente, comenzó en Guatemala una época de persecución de los disidentes[10], especialmente comunistas. Todos estos acontecimientos provocaron en Ernesto su transformación definitiva: se convirtió en un comunista decidido a luchar por la revolución en América Latina y contra el imperialismo de los Estados Unidos. Además, se enamoró de nuevo.

Hilda y Ernesto en Guatemala

[mixed feaurures

Se puede describir a Hilda Gadea a partir de algunas fotos de aquella época: una mujer pequeña, gordita, de piel oscura y rasgos mestizos. Tenía los brazos fuertes, la cara redonda, el pelo negrísimo y una mirada severa[11]. De edad incierta[12], resultaría difícil calificarla como «joven», aunque lo era. Así era la mujer que conoció Ernesto poco tiempo después de llegar a Guatemala. Los presentó Ricardo Rojo, amigo de ambos. Hilda era una refugiada[13] peruana, militante[14] del partido comunista Alianza Popular Revolucionaria Americana (APRA).

severe look

parte de comunismo   *both*   *unsure*

GLOSARIO

[8] **afiliarse a**: convertirse en miembro oficial de [9] **atreverse a**: hacer algo que se sabe que es arriesgado [10] **disidente**: opositor [11] **severo**: serio [12] **incierto**: que no está claro [13] **refugiado**: persona que huye de su país por motivos políticos o religiosos [14] **militante**: persona que se implica activamente por una causa, normalmente política

[handwritten annotations: political rallies; friendship based on politics; asks to marry her?; ahh!; didn't get seduced]

33

Entre Hilda y Ernesto surgió una amistad basada, al principio, en la discusión política. Hablaban de los libros de Sartre, Tolstói, Dostoievski, y por supuesto de Marx y Engels. Iban juntos a mítines[15] políticos y a fiestas organizadas por otros camaradas del partido. Hilda, además, ayudaba a Ernesto a pagar el alquiler de un pequeño apartamento. A las pocas semanas de conocerse, Ernesto le pidió a Hilda que se casara con él. Le propuso que se fueran juntos de viaje a China. Sin embargo, Hilda no se dejó seducir[16] tan fácilmente, y tardó más de un año en decirle «sí, quiero» a Ernesto.

Un poco de acción

Cuando empiezan los bombardeos[17] de los aviones de Estados Unidos sobre Guatemala, unos días antes del golpe de Estado, Ernesto escribe en una carta a su madre: «Con un poco de vergüenza te comunico que me divertí como un mono durante estos días». Ernesto, en realidad, ha venido a Guatemala en busca de un poco de acción. Y la ha encontrado.

El Gobierno de Arbenz había decidido expropiar[18] miles de hectáreas de tierras a la compañía estadounidense para repartirlas entre campesinos sin tierras. Los informes[19] de la CIA sobre este asunto llevaron al presidente Eisenhower a organizar un golpe de Estado para terminar con el Gobierno de Arbenz. En esa época, la CIA estaba dirigida por Allen Dulles, hermano del abogado John Foster Dulles, secretario de Estado muy relacionado con la United Fruit Company.

El golpe de Estado fue un éxito y Arbenz decidió rendirse[20]. Algunos comunistas, entre ellos Ernesto, pensaban que se debía

---

GLOSARIO

[15] **mitin**: reunión donde se escucha el discurso de un personaje político [16] **seducir**: (aquí) convencer [17] **bombardeo**: acción de atacar con bombas desde un avión [18] **expropiar**: quitar el Estado una propiedad a una persona por razones de utilidad pública o bien social [19] **informe**: descripción oral o escrita de las características y circunstancias de un hecho [20] **rendirse**: aceptar la derrota, darse por vencido

34 luchar organizando milicias[21] de obreros y campesinos comunistas. Pero, finalmente, ni el Gobierno ni los partidos comunistas tomaron esa decisión, y Castillo Armas se hizo con[22] el poder.

A partir de entonces, el Gobierno persiguió a comunistas y socialistas. Miles de personas fueron asesinadas o encarceladas[23]. Días después del golpe de Estado, detuvieron a Hilda Gadea, aunque la liberaron enseguida. A Ernesto le ofrecieron refugiarse en la embajada de Argentina y aceptó. Pidió el visado[24] para irse a México y lo obtuvo en septiembre. Le propuso a Hilda que se fuera con él, pero ella decidió volver a Perú. En septiembre, Ernesto tomó el tren hacia México DF.

Los años mexicanos

Aunque a Ernesto no le gustaba demasiado México, se quedó allí dos años. El país norteamericano era muy distinto de la vecina Guatemala. Ernesto pensaba que México era una «democracia del dólar» donde había mucha miseria y donde el dinero era lo único que importaba. Pero Ernesto encontró estabilidad: trabajos bien pagados como médico y como fotógrafo, y un hogar fijo.

Al principio, Ernesto sobrevivió haciendo fotografías de las familias en un parque de México DF, pero pronto encontró trabajo en el Hospital General como ayudante en el Servicio de Alergología[25], campo en el que ya había trabajado cuando estaba en la universidad. Por las tardes trabajaba como fotógrafo para la Agencia Latina de Noticias, una agencia internacional creada en Argentina por Perón.

Menos de dos meses después de haberse despedido de Hilda, esta apareció por sorpresa[26] en México: no había conseguido llegar a Perú. La detuvieron[27] de nuevo en Guatemala y la obliga-

---

GLOSARIO

[21] **milicia**: grupo armado de personas [22] **hacerse con**: tomar, conseguir [23] **encarcelar**: meter en la cárcel [24] **visado**: documento que permite viajar a un país [25] **alergología**: rama de la medicina que estudia las alergias [26] **por sorpresa**: sin avisar [27] **detener**: arrestar

finalmente!

ron a refugiarse en México. Finalmente, Hilda y Ernesto se casaron el invierno siguiente. En agosto de 1955, cuando ya llevaban meses viviendo juntos, Hilda se quedó embarazada. El 15 de febrero de 1956 nació la única hija del matrimonio: Hilda Beatriz Guevara Gadea.

Hilda y Ernesto no eran los únicos comunistas que habían tenido que exiliarse a México después del golpe de Estado en Guatemala. Muchos de sus amigos estaban también allí, entre ellos, el grupo de cubanos que había participado en el asalto al Moncada. En junio de 1955, los cubanos le presentaron a un amigo que acababa de llegar a México desde Cuba: Raúl Castro. El hermano de Fidel era entonces un joven comunista de 24 años, que también había participado en el fracaso[28] del Moncada. Ernesto y Raúl se hicieron buenos amigos. Un mes después aterrizó en México Fidel Castro, que acababa de salir de la cárcel en Cuba gracias a una amnistía del Gobierno de Batista.

María Antonia González, una cubana exiliada en México, organizó una cena en su casa una noche de julio de 1955. «En una de esas frías noches de México...», según dijo después el Che en una entrevista, Ernesto conoció a Fidel. Hablaron durante toda la noche. Cuando estaba amaneciendo, Fidel le propuso unirse como médico a la guerrilla revolucionaria que estaba organizando para tomar el poder en Cuba. Ernesto dijo sí, pero también puso una condición: tras la victoria, él seguiría su camino en solitario[29].

after the victory

he would go his way alone.

GLOSARIO
[28] **fracaso**: derrota, intento frustrado [29] **en solitario**: solo, de forma independiente

Che

En Guatemala, Ernesto conoció a otro grupo de cubanos que también habían participado en el asalto al cuartel Moncada. Entre ellos estaba Antonio López, a quien llamaban Ñico y que era amigo de Fidel Castro. Él fue quien le dio a Ernesto el alias que pasó a la historia: Che. Como todos los argentinos, Ernesto utilizaba habitualmente esta expresión para dirigirse a los demás. «Che» no tiene ningún significado; es solamente lo que en español se llama «muletilla»: una palabra o frase que se repite por costumbre al hablar. Permite reconocer muy fácilmente a un argentino porque ellos utilizan muchísimo esta expresión.

5. Rumbo a Cuba

> «Seremos héroes
> o mártires»
> Fidel Castro

«**F**idel Castro ha muerto». A principios de diciembre de 1956, los medios de comunicación cubanos publicaron la noticia. Según los periódicos, un grupo rebelde encabezado por Castro había desembarcado[1] en el este de Cuba para organizar un golpe de Estado contra el Gobierno de Batista, pero el Ejército los había descubierto y había acabado con ellos. Fidel Castro, el enemigo número 1 de Batista, había muerto en el combate. Dos meses después, sin embargo, el diario más prestigioso de Estados Unidos, *The New York Times*, publicó un largo reportaje firmado por el periodista Herbert L. Matthews: «Castro está vivo y está luchando en las montañas». Fidel, resucitado[2] de entre los muertos, se hizo famoso en todo el mundo. Había comenzado la guerra revolucionaria de Cuba.

Los preparativos[3]
Para entrenar a los combatientes[4] del Movimiento 26 de Julio, Castro alquiló un rancho[5] en Santa Rosa, a unos 40 km de México DF. Fidel escogió ese nombre para la guerrilla porque fue un 26

GLOSARIO
[1] **desembarcar**: salir del barco cuando este ha llegado a tierra [2] **resucitar**: volver a vivir después de haber muerto [3] **preparativos**: planes, preparaciones [4] **combatiente**: persona que lucha o combate en un enfrentamiento [5] **rancho**: casa de campo

38

de julio (de 1953) cuando dirigió el asalto[6] al cuartel[7] Moncada en Santiago de Cuba.

Aunque el Movimiento 26 de Julio se entrenaba en secreto, para Batista no fue muy difícil adivinar[8] que Fidel Castro preparaba desde México un golpe de Estado en Cuba. Fidel es famoso por su facilidad de palabra[9]: una de las cosas que más le gusta es dar largos discursos en público. Mientras estuvo en México o viajando por Estados Unidos, Castro dio públicamente varios mítines políticos ante sus seguidores. Castro afirmaba en ellos que volvería a Cuba para hacer la revolución antes de terminar el año 1956. «Seremos héroes o mártires», es la frase que repetía constantemente.

En junio de 1956, la policía mexicana detuvo a Fidel Castro. Unos días después detuvieron también al Che, junto con casi 30 compañeros, en el rancho de Santa Rosa. Gracias a los contactos de Castro, los guerrilleros y su líder salieron en libertad un mes después, pero el Che, junto con otro compañero (Calixto García), tuvo que quedarse en la cárcel. Ernesto estaba en México ilegalmente; no tenía visado. Además, la policía registró su casa y en ella encontró varios libros de autores comunistas. Consideraban que el Che era peligroso. El Che le dijo a Fidel que debía abandonarlo en la cárcel y continuar con su proyecto sin él, pero Fidel no abandonó a su amigo argentino. En agosto, el Che y Calixto García salieron en libertad mediante un soborno[10] a la policía. Durante su estancia en la cárcel, Ernesto escribió un famoso poema, Canto a Fidel, en el que expresa su admiración y gratitud[11] hacia el líder del grupo.

A partir de agosto de 1956, el Movimiento 26 de Julio se hizo clandestino[12]. El Che, igual que todos sus compañeros, tuvo

GLOSARIO

[6] **asalto**: operación militar para entrar en un lugar estratégico políticamente y hacerse con el poder [7] **cuartel**: edificio en el que se aloja una tropa militar [8] **adivinar**: (aquí) descubrir [9] **facilidad de palabra**: habilidad para hablar bien [10] **soborno**: ofrecimiento ilegal de dinero o riquezas a cambio de un favor o servicio [11] **gratitud**: actitud por la cual se agradece algo [12] **clandestino**: secreto, oculto

que mudarse muchas veces y evitar todo contacto con la policía mexicana. Hasta que llegó el día 24 de noviembre. Aquel día, Ernesto recibió la visita de un hombre. Un momento después, se despidió de su mujer y su hija y se marchó para siempre.

La odisea

Parece el comienzo de una novela de mala calidad: «Era una fría noche de tormenta...». La noche del 24 de noviembre de 1956, los guerrilleros del Movimiento 26 de Julio se reunieron junto al río Tuxpan. Ochenta y dos hombres subieron al yate[13] Granma (el nombre del barco era Grandmother). Cincuenta guerrilleros se tuvieron que quedar en tierra, pues en el yate ya no había espacio para nadie más. El barco partió lentamente hacia el golfo de México. Así comenzó la odisea de los guerrilleros.

La llegada de los soldados de Castro a Cuba estaba prevista[14] para el 30 de noviembre de 1956. Desde Santiago de Cuba, el Movimiento 26 de Julio lo había organizado todo: esperaban a Fidel en el lugar acordado, una playa cercana al pueblo de Niquero. Habían preparado comida y vehículos para llevar a los guerrilleros a la Sierra Maestra. Además, se organizó una rebelión en Santiago que debía coincidir con el regreso de Fidel Castro. Todo salió mal. Cuando estalló la rebelión en Santiago, los guerrilleros seguían navegando por el Caribe. Mientras, en la playa de Niquero, el barco no llegaba. Después de esperar durante casi dos días, los partidarios de Fidel volvieron a Santiago.

El Granma llegó a la costa cubana en la madrugada del 2 de diciembre. Los 82 guerrilleros llevaban varios días sin comer, habían calculado mal la comida necesaria y, además, el viaje había durado casi dos días más de lo previsto. No desembarcaron en la playa de Niquero. La ansiedad por llegar impulsó a Fidel a dar

---

GLOSARIO
[13] **yate**: barco de lujo [14] **estar previsto**: estar planificado

40

la orden de desembarcar en cuanto vieron la costa cubana. La decisión fue un gran error: los guerrilleros desembarcaron en Las Coloradas, una ciénaga[15] llena de barro[16] y mosquitos[17]. El Ejército cubano había detectado[18] la llegada del barco. Por eso, los guerrilleros echaron a correr hacia los manglares[19] inmediatamente después de saltar del barco. Iban cubiertos de barro hasta la cintura. La Aviación del Ejército les disparaba. Varias horas después, consiguieron salir de la ciénaga. Caminaron durante toda la noche. Eran, según escribió el Che en su libro *Pasajes de la guerra revolucionaria*, como «un ejército de sombras[20], de fantasmas[21], que caminaban como siguiendo el impulso de algún oscuro mecanismo psíquico».

Después de tres días caminando sin parar, los guerrilleros montaron un campamento en un lugar llamado Alegría de Pío. Llevaban casi una semana sin comer prácticamente nada. Habían perdido las armas y las mochilas. «En la madrugada del día 5 eran pocos los que podían dar un paso más». Por fin, los guerrilleros pudieron dormir y comer algo… Pero la tranquilidad duró muy poco: el Ejército descubrió en pocas horas el campamento. De Alegría de Pío solo salieron vivos 20 guerrilleros. Fue una auténtica matanza[22]. El Che logró salvar la vida casi de milagro[23]. Durante el tiroteo[24], le dispararon en el cuello. Por un momento pensó que todo estaba perdido. Pensó en pegarse un tiro de gracia[25]: «Recordé un viejo cuento de Jack London, donde el protagonista, apoyado en un tronco de árbol, se dispone a acabar con dignidad

---

GLOSARIO

[15] **ciénaga**: lugar pantanoso [16] **barro**: masa que se forma al mezclar agua y tierra [17] **mosquito**: insecto pequeño que chupa la sangre de los animales a los que pica [18] **detectar**: descubrir, localizar [19] **manglar**: terreno de las zonas tropicales que el agua de mar cubre y en el que se forman islas bajas [20] **sombra**: proyección oscura de un cuerpo por efecto de la luz [21] **fantasma**: (aquí) espíritu [22] **matanza**: acción de matar a muchas personas a la vez [23] **de milagro**: contra todo pronóstico, que sucede aunque parecía imposible [24] **tiroteo**: enfrentamiento con disparos de armas de fuego [25] **tiro de gracia**: disparo que termina con el sufrimiento de alguien que ha recibido una herida mortal

su vida, al saberse condenado a muerte por congelación[26], en las zonas heladas de Alaska». Sin embargo, consiguió levantarse y escapar hacia la selva.

Durante días, Ernesto y otros siete guerrilleros, entre ellos Camilo Cienfuegos, caminaron sin dirección buscando algo de comida y un lugar donde dormir. Bebían agua de mar mezclada con agua dulce y comían cualquier cosa. No sabían cuántos soldados quedaban en pie, ni dónde se encontraban. No sabían si Fidel estaba vivo. Finalmente, los ocho soldados contactaron con un campesino que les dijo que Fidel seguía vivo. Los guerrilleros que habían conseguido escapar de Alegría de Pío se juntaron de nuevo. En total, eran 20.

GLOSARIO

[26] **congelación**: (aquí) daño o lesión que produce el frío intenso en un ser vivo

Fidel Castro y el Che Guevara en 1961 / Roberto Salas

6. Los barbudos de Sierra Maestra

> «La guerrilla y el campesinado se iban fundiendo en una sola masa»
> Diario del Che

Cuba es un país independiente desde 1898. Hasta entonces fue una colonia del reino de España, que explotaba la riqueza económica de la isla, especialmente el azúcar. A lo largo del siglo XIX, otro país empezó poco a poco a controlar la economía cubana: Estados Unidos. Mientras tanto surgían en Cuba movimientos de lucha por la independencia. Carlos Manuel de Céspedes, Antonio Maceo y finalmente José Martí encabezaron estos movimientos. En 1898, mientras Martí trataba de lograr la liberación de Cuba, estalló la guerra entre España y Estados Unidos. Cuando terminó la guerra, a finales de 1898, Cuba se convirtió en un país independiente, pero solo sobre el papel. Realmente, la isla pasó a estar controlada totalmente por Estados Unidos.

Durante toda la primera mitad del siglo XX, Estados Unidos colocó en el Gobierno a presidentes cubanos que favorecían sus intereses. Cualquier movimiento que intentaba lograr una independencia real era aplastado[1] por los marines de Estados Unidos… o por el Ejército cubano, dirigido por el coronel Fulgencio Batista desde 1934. Entre 1940 y 1944, Batista gobernó el país: fue uno más de la lista de presidentes-títere[2] de Estados Unidos en Latinoamérica. Cuba era otra más de las «repúblicas

GLOSARIO
[1] **aplastar**: terminar violentamente con algo [2] **títere**: persona que se deja manejar por otra

yankees controlla

bananeras» que los *yankees* controlaban en el Caribe. Después Batista se instaló en Miami, donde se relacionó con miembros de la mafia. En 1952 volvió a Cuba para dar un golpe de Estado. Evitó[3] así la victoria en las elecciones[4] del Partido Ortodoxo, al que estaba afiliado Fidel Castro. La dictadura de Batista se hizo famosa en todo el mundo por la descarada[5] corrupción de sus dirigentes (el propio Batista se llevó más de 100 000 dólares de dinero público en efectivo[6] cuando triunfó la Revolución). «Y en eso[7] llegó Fidel / y se acabó la diversión», dice una famosa canción del cantautor cubano Carlos Puebla.

blatant corruption → took 100,000 mmscif

Los barbudos

Los guerrilleros del Movimiento 26 de Julio (M-26) pasaron más de dos años en la Sierra Maestra. Dos años sin dormir en una cama o darse una ducha. Como símbolo de las dificultades a las que se enfrentaron, todos se dejaron crecer la barba. Su aspecto salvaje y sucio se convirtió en un símbolo de la Revolución de Cuba. Los dos años de lucha en la Sierra lo cambiaron todo. Para Ernesto, fueron tal vez los años más felices de su vida.

Ya en 1957, los guajiros de la Sierra empezaban a hablar entre sí del médico argentino de la guerrilla. El Che creó una consulta médica que iba de aldea en aldea atendiendo[8] a los campesinos. Pero además de por su faceta médica, el Che se distinguió pronto por su valor como guerrillero, a veces más bien suicida. En mayo de 1957, en el combate del Uvero, uno de los más duros de la guerrilla durante los primeros meses, el Che destacó especialmente entre sus compañeros. En junio de 1957 Fidel lo nombró «comandante», el título más alto que podían alcanzar los guerrilleros.

Che recibió el nombre de comandante

GLOSARIO

[3] **evitar**: impedir, obstaculizar [4] **elecciones**: competición por cargos políticos en la que decide el voto del pueblo [5] **descarado**: sin vergüenza [6] **en efectivo**: en billetes y monedas [7] **en eso**: en ese momento [8] **atender**: ocuparse de los problemas de salud

[nota manuscrita: una entrevista en the ny Times y dio atención al movimiento y más personas juntaron para luchar]

Para entonces, la guerrilla ya no era un grupo de 20 hombres hambrientos. Poco después de la publicación de la entrevista con Fidel en *The New York Times* y de un reportaje para una televisión de Estados Unidos la cosa cambió: Frank País, el líder del M-26 en Santiago de Cuba, envió a Castro más de 60 hombres para unirse a la guerrilla. Poco a poco, algunos guajiros decidieron también unirse a Fidel Castro. En julio de 1957, Fidel dirigía a unos 200 hombres.

[nota manuscrita: pero el hombre que Frank]

Operación FF

Como comandante del ejército revolucionario, el Che se convirtió en jefe de una columna de soldados, la número 4. A principios de 1958, la guerrilla estaba consolidada. La mayoría de los campesinos de la sierra apoyaban la lucha de Fidel, y muchos se unieron a ella. «La guerrilla y el campesinado se iban fundiendo en una sola masa», escribió el Che. En mayo, Batista decidió organizar la Operación FF. «FF» significaba «Fin de Fidel». Se enviaron 10 000 soldados a la Sierra Maestra. Los aviones de Estados Unidos despegaron de la base militar de Guantánamo, en el sur de Cuba, y en solo unos minutos bombardearon los lugares donde pensaban que se encontraban los guerrilleros.

Durante dos meses, los rebeldes estuvieron acorralados[9] por el ejército. Los continuos combates causaron muchos muertos en ambos bandos. Pero el gran Ejército de Batista no pudo destruir la guerrilla de Castro. Los rebeldes llevaban más de un año en la Sierra: conocían todos los escondites[10], sabían cómo pelear en ese terreno. Aplicaron la estrategia de la guerra de guerrillas, también utilizada por el Viet Cong en Vietnam. En julio de 1958, la Operación FF terminó con un evidente fracaso. La guerrilla no solo seguía viva, sino que era más fuerte que nunca. Eran ya mil los

[nota manuscrita margen izquierdo: era el + fidel]

[nota manuscrita margen derecho: Los guerrilleros del movimiento 26 de Julia pasaron mas de dos años en la sierra maestra se convirtieron un número de orgullo al la Revolución]

GLOSARIO
⁹ **acorralado**: encerrar a alguien en límites estrechos e impedir que escape ¹⁰ **escondite**: lugar donde se esconde u oculta alguien o algo

weakness

46

soldados que combatían con Fidel. Con el fracaso de la operación, Batista mostró su debilidad en Cuba.

En agosto, Castro tomó la decisión de salir de Sierra Maestra y extender el movimiento por todo el país. Los barbudos se dividieron en tres grandes frentes: oriente, occidente y centro del país. Las columnas de Fidel, Raúl Castro y Juan Almeida debían tomar la región de Santiago de Cuba (oriente), la de Camilo Cienfuegos debía llegar hasta Pinar del Río (occidente), y la del Che debía tomar el control de Las Villas (en el centro).

La misión más difícil fue la del Che. Sus soldados iban a viajar en camiones a la sierra de Escambray, desde donde comenzaría la ofensiva. Pero debido a los bombardeos del ejército tuvieron que caminar durante casi dos meses hasta llegar a Las Villas. Caminaban por la noche, pasando días enteros sin comer ni dormir, bajo los aviones enemigos. Finalmente lo lograron. Desde la sierra de Escambray, el Che organizó la ofensiva para dominar la parte central de Cuba.

Todo sucedió muy rápido: durante el mes de diciembre, los guerrilleros del Che tomaron varias poblaciones importantes. No encontraron mucha resistencia: los soldados del Ejército cubano se rindieron casi sin combatir, y la población recibió con ambiente festivo a los barbudos. El último obstáculo para la Revolución era la ciudad de Santa Clara.

took over quickly the people received them so well

La batalla de Santa Clara

A finales de 1958, Batista aún creía que podía ganar la guerra contra los revolucionarios. Fidel Castro estaba a punto de tomar el control de Santiago. Santa Clara, en el centro del país, era la última oportunidad de Batista. Y los rebeldes no tenían más remedio que tomar la ciudad para seguir avanzando hacia La Habana. Si los guerrilleros tomaban Santa Clara, todo estaba perdido para Batista, pues sería imposible enviar por tren o carretera más soldados hacia oriente.

«El 29 de diciembre iniciamos la lucha», escribió el Che en su diario. Una lucha muy desigual: los casi 400 hombres del argentino contra los 3000 del Ejército de Batista. Sin embargo, en solo cinco días los rebeldes lograron tomar la ciudad. La clave fue la decisión del Che de cortar las comunicaciones y sabotear[11] las vías del tren. La ciudad quedó aislada. El Ejército de Batista tenía importantes refuerzos[12] de hombres y armas en los alrededores de la ciudad. Cuando comenzó el asalto, intentaron llegar a Santa Clara en un tren blindado[13], pero los guerrilleros habían cortado las vías y el tren descarriló[14]. Los soldados de Batista se rindieron y los guerrilleros se hicieron con las armas.

La madrugada del 1 de enero de 1959, Fulgencio Batista se marchó rápidamente de la tradicional fiesta de Nochevieja. Después de dar un discurso en el que renunciaba a la presidencia de Cuba, un coche lo llevó al aeropuerto. Minutos después, el dictador volaba hacia República Dominicana. El día de Año Nuevo de 1959 fue el primer día de la Revolución. Desde Santa Clara, el Che y Camilo Cienfuegos partieron hacia La Habana. En cada pueblo por el que pasaban se repetía la misma escena: la gente salía a la calle para celebrar la victoria de los barbudos.

Monumento al Che en la Plaza de la Revolución (La Habana) / Jesús García Marín

7. La Habana roja

«*Nuestra lucha es una lucha a muerte*»

«**E**sta vez sí que es la Revolución», dijo Fidel en su primer gran discurso. Castro entró en La Habana el 8 de enero de 1959. Lo hizo encima de un tanque[1], junto con todos los barbudos de Sierra Maestra. A su lado, Ernesto Guevara y Camilo Cienfuegos. Cientos de miles de habaneros salieron a la calle a ver pasar a los revolucionarios.

Los primeros años de la Revolución fueron difíciles y confusos[2]. El historiador Pierre Kalfon, autor del libro *Ernesto Guevara, una leyenda de nuestro siglo*, compara la Revolución de Cuba con una sandía[3]: «Verde por fuera, roja por dentro». El verde olivo era el color de los uniformes militares de los guerrilleros; el rojo, el color que se asocia con el comunismo. La «sandía revolucionaria» se abrió en abril de 1961, cuando Cuba se convirtió oficialmente en enemigo de Estados Unidos y aliado de la Unión de Repúblicas Socialistas Soviéticas (URSS). Pero a principios de 1959, Fidel Castro todavía se esforzaba por[4] convencer al mundo entero de que él no era comunista. Desde Estados Unidos lo acusaban[5] de tener ideas socialistas: «Mentiras[6] para confundir al pueblo», decía

---

GLOSARIO

[1] **tanque**: carro de combate [2] **confuso**: (aquí) revuelto [3] **sandía**: fruto redondo y grande que se come normalmente en verano [4] **esforzarse por**: intentar, tratar de, hacer esfuerzos por [5] **acusar**: culpar, reprochar, anunciar que alguien es culpable de algo [6] **mentira**: algo que no es verdad

50

Fidel. «El pueblo de Cuba sabe que el Gobierno revolucionario no es comunista», dijo en un discurso el 19 de abril de 1959. Dos años después, sin embargo, Castro dijo todo lo contrario: «Fui comunista desde siempre».

La misión que Fidel encargó al Che al terminar la guerra fue hacer el «trabajo sucio[7]». En este caso, se trataba de impartir justicia, la «justicia revolucionaria». El Che se convirtió en alcaide[8] de la prisión militar de La Cabaña. Allí se hicieron entre 200 y 300 ejecuciones de criminales de guerra[9]. En su discurso ante las Naciones Unidas, en 1964, el Che reconoció con crudeza[10] que en Cuba se fusilaba[11] a los «enemigos de la Revolución»: «Fusilamientos, sí, hemos fusilado; fusilamos y seguiremos fusilando mientras sea necesario. Nuestra lucha es una lucha a muerte».

Al mismo tiempo, Fidel, jefe del Ejército, organizó un nuevo Gobierno en el que no estaba ninguno de los barbudos de Sierra Maestra, sino políticos de izquierdas moderados. Castro eligió como presidente al juez[12] Manuel Urrutia y como ministros a antiguos militantes del Partido Ortodoxo, el origen del Movimiento 26 de Julio. Sin embargo, existía una especie de Gobierno en la sombra[13], formado por ocho hombres entre los que estaban Castro y Guevara. Se reunían casi todas las noches en la casa del Che, y allí discutían las nuevas leyes y tomaban las decisiones importantes.

Revolución económica

Después de los primeros meses de 1959 llegó el momento de tomar grandes decisiones. Desde entonces, el Che Guevara dirigió en gran parte la política económica de Cuba, una economía

[7] **trabajo sucio**: parte más desagradable de un trabajo [8] **alcaide**: gerente de una cárcel [9] **criminal de guerra**: persona que ha cometido crímenes contra la humanidad durante una guerra [10] **crudeza**: frialdad [11] **fusilar**: ejecutar a alguien disparándole varias personas con fusiles, todas a la vez [12] **juez**: miembro de un tribunal y que emite sentencias [13] **en la sombra**: (aquí) extraoficial

decididamente «roja», como el interior de una sandía. En mayo se aprobó la Ley de Reforma Agraria y se creó un organismo para hacer cumplir la ley, el Instituto Nacional de Reforma Agraria (INRA). Ernesto Guevara fue su principal impulsor[14].

La reforma agraria cubana era muy radical: prohibía totalmente las grandes explotaciones agrícolas, los latifundios. Los latifundios fueron expropiados y se dividieron en pequeñas parcelas[15] que se entregaron gratis a campesinos sin tierras. Las grandes empresas y los terratenientes[16] que los habían explotado anteriormente no recibieron ninguna indemnización[17].

Como ministro de Industria, el Che fue responsable de otro de los grandes cambios en la isla: la nacionalización y reconversión de la economía. A partir de 1960, muchas empresas privadas pasaron a ser propiedad nacional. El Estado asumió la planificación de la economía: el Che intentó desarrollar la industria cubana para reducir la dependencia del azúcar.

El otro cargo económico que tuvo fue el de presidente del Banco Nacional. El Che no tenía ninguna formación como economista, por lo que en Cuba se hacían muchas bromas sobre el nuevo presidente del Banco Nacional. En la calle se contaba este chiste[18]: «En una reunión en la que están los hombres más importantes de Cuba, Fidel pregunta si hay algún economista en la sala. Solo el Che levanta la mano. Fidel, sorprendido, le dice que no sabía que fuera economista, él creía que era médico. Entonces el Che responde: "¿Economista? Me pareció que preguntaban quién era comunista"».

Un punto caliente en la Guerra Fría

La Guerra Fría: así se llamó a la situación de tensión constante entre los dos grandes bloques que se formaron después de la

[14] **impulsor**: precursor, iniciador [15] **parcela**: trozo de terreno [16] **terrateniente**: persona que tiene grandes extensiones de terreno [17] **indemnización**: pago que se hace para compensar un daño [18] **chiste**: historieta breve y divertida

52

Segunda Guerra Mundial. En esta guerra en la que nunca hubo combates directos, se enfrentaron dos ideologías y dos modelos económicos. La URSS contra Estados Unidos; socialismo contra capitalismo. Cuba fue, a partir de 1961, un «punto caliente» en la Guerra Fría: un lugar en el que las dos grandes potencias se enfrentaron; de hecho, la «tercera guerra mundial» estuvo a punto de estallar en la pequeña isla caribeña.

Los problemas serios con Estados Unidos empezaron cuando el Che Guevara comenzó a ocuparse de la política económica de Cuba. Desde el principio, Estados Unidos desconfiaba de[19] Fidel Castro, pero el presidente Eisenhower sabía que Cuba necesitaba a Estados Unidos para vender su azúcar. Hasta 1960, Estados Unidos había comprado cada año más del 80% de la producción de azúcar de Cuba. Pero en julio, ante el giro socialista de la economía cubana, el presidente Eisenhower anunció que su país no compraría nada ese año. Puede que solo fuera un intento de presionar a Cuba para que cambiara su política, y no una decisión firme. Sin embargo, Nikita Khruschev, primer ministro de la URSS, se ofreció enseguida como comprador del azúcar cubano. Castro y Guevara aceptaron encantados[20]. No solo eso: a partir de agosto, Cuba nacionalizó todas las industrias de propiedad estadounidense. Grandes empresas estadounidenses como United Fruit Company, Standard Oil, Texaco y hasta Coca-Cola tuvieron que marcharse de Cuba.

El Gobierno de Estados Unidos estaba decidido a acabar con Fidel Castro. Tanto el Gobierno de Eisenhower como el de Kennedy organizaron y financiaron grupos políticos y militares para intentar tomar el poder en Cuba o, sencillamente, asesinar a Fidel. El intento de golpe de Estado más conocido fue el de Playa Girón (bahía de Cochinos): 200 exiliados cubanos entrenados en Miami intentaron desembarcar en Cuba, pero el Ejército de Castro lo impidió. La operación la organizó la CIA, que aún dirigía Allen

GLOSARIO
[19] **desconfiar de**: no fiarse, no tener confianza en alguien [20] **encantado**: con gusto

Dulles, el mismo hombre que había planeado el golpe de Estado de Castillo Armas en Guatemala en 1954 (cuando Ernesto vivía en el país centroamericano). Después de la victoria cubana en Playa Girón, el presidente Kennedy decidió imponer un bloqueo económico a Cuba. Este bloqueo impedía[21] cualquier negocio entre Estados Unidos y la isla.

El momento más complicado de la Guerra Fría llegó en junio de 1962. La URSS y Cuba firmaron un acuerdo para instalar misiles nucleares en La Habana. Cuando Estados Unidos se enteró, amenazó[22] a Cuba y a la URSS con un ataque nuclear si Cuba no retiraba[23] los misiles. El Gobierno de Estados Unidos estaba decidido a destruir Cuba. Durante algunos días, Khruschev negoció con Kennedy en medio de una gran tensión. Mientras tanto, Castro y Guevara presionaban a Khruschev para que en lugar de[24] retirar los misiles, los disparara contra Estados Unidos, incluso si esto significaba que Cuba desaparecía del mapa. Finalmente, Kennedy se comprometió a respetar a Cuba y al Gobierno de Fidel Castro. A cambio, Khruschev retiró los misiles nucleares, ante la indignación[25] del Che y Fidel.

HASTA
LA VICTORIA
SIEMPRE

Estatua del Che en La Habana / Jesús García Marín

8. La otra mitad del mundo

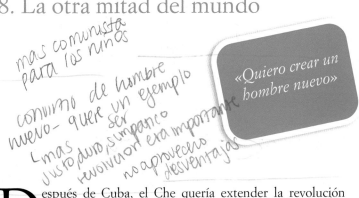

mas comunista para los niños

comunismo de hombre nuevo- quiere ser un ejemplo ∟mas justo/duro,simpatico revolución era importante no aprovecho desventajas

«*Quiero crear un hombre nuevo*»

Después de Cuba, el Che quería extender la revolución hacia otros países. Quería crear nuevas Cubas en otras partes del mundo. Más aún: quería cambiar el mundo. Pero para eso, primero había que cambiar al ser humano: su forma de vivir y de pensar. Quería crear un «hombre nuevo», según sus propias palabras. El «hombre nuevo» de Guevara no buscaría su interés personal, sino que actuaría por el bien común. La solidaridad sería su principal cualidad. Él mismo quiso ser un ejemplo de cómo debía ser este nuevo hombre socialista.

En la Sierra Maestra, el comandante Che Guevara tenía fama de hombre justo, pero también de duro e intransigente[1]. Desde niño tuvo que luchar contra los ataques de asma que lo dejaban sin respiración, por lo que se acostumbró a llegar siempre hasta el límite de su capacidad. Estaba dispuesto a renunciar a cualquier cosa por la revolución, y así lo hizo.

Cuando estaba en el Gobierno cubano, los días eran demasiado cortos para el Che. La Revolución era lo único importante. Pensaba que, como revolucionario, debía dar ejemplo a los demás con su comportamiento. Por eso no aceptó ningún privilegio. Rechazó de

---

GLOSARIO
[1] **intransigente**: rígido, inflexible, intolerante

56

manera obsesiva cualquier tentación de aprovecharse de[2] su poder. Por ejemplo, no quiso cobrar el sueldo de ministro o el de director del Banco Nacional. Su salario era igual al de cualquier soldado del Ejército cubano. Hay muchos más ejemplos: sus padres, después de varios años sin verlo, lo visitaron a principios de 1959. Ernesto padre y Celia querían hacer un recorrido en coche por Cuba. Al Che le pareció muy bien, pero les dijo que tendrían que pagarse ellos la gasolina[3].

En un discurso que pronunció en 1960, el Che habló por primera vez del «hombre nuevo», concepto que tuvo una gran importancia en Cuba. Consistía en educar a toda la población en el nuevo sistema comunista. Esto implicaba renunciar a casi todos los valores individuales para favorecer los comunes. En la práctica, en el nuevo sistema educativo cubano, los niños aprendían a ser solidarios, a hacer sacrificios[4] por el bien común, etc. Pero esto no era suficiente. Se creó el «trabajo voluntario»: todos los cubanos debían dedicar un día a la semana a trabajar gratis en la recogida del azúcar o en alguna de las fábricas del Estado. El Che dedicaba todos los sábados a trabajar en el campo. Además, se igualaron los sueldos de casi todas las profesiones.

El embajador guerrillero

El Che estaba convencido de que lo ocurrido en Cuba debía ser solo el principio de una revolución a escala mundial, empezando por el Tercer Mundo. Así, Guevara se convirtió en el primer embajador de la Revolución cubana. Entre 1959 y 1965 viajó constantemente por la «otra mitad del mundo», la mitad más desfavorecida[5].

La actividad del Che como «embajador» de la Revolución cubana empezó en el año 1959. Guevara viajó durante algunas

GLOSARIO

[2] **aprovecharse de**: (aquí) obtener un beneficio ilegítimo de algo [3] **gasolina**: combustible con el que funcionan los coches y otros vehículos de motor [4] **sacrificio**: renuncia [5] **desfavorecido**: en malas condiciones económicas, sin recursos

semanas por varios países, entre ellos India, Yugoslavia y Egipto.
Un año después, volvió a viajar durante meses, esta vez por
los países del bloque socialista. Visitó la URSS, China y Corea.
Además hizo muchos otros viajes: a Uruguay, donde conoció
al chileno Salvador Allende, a Francia y a Argelia. En este país
africano, el Che encontró una «segunda casa». El presidente Ben
Bella se convirtió en un gran amigo suyo.

En diciembre de 1964, Guevara pronunció un famoso
discurso en la Asamblea de Naciones Unidas, en Nueva York, que
marcó el final de su etapa como dirigente de Cuba. Sus palabras
fueron de enfrentamiento[6] contra Estados Unidos y contra el
mundo capitalista. El Che se había convertido en un portavoz[7]
de los países pobres, del Tercer Mundo frente al Primer Mundo.
«Esta gran humanidad ha dicho ¡basta[8]! y ha echado a andar[9]»,
dijo. Desde Nueva York, el Che viajó a África, donde estuvo tres
meses. Desde Argel viajó en su avión privado a Mali, República
del Congo, Guinea, Ghana y Benín. Después de este viaje decidió
dejar la política cubana para volver a tomar las armas.

El prestigio de Guevara aumentaba[10] entre los líderes inter-
nacionales del Tercer Mundo como representante de Cuba en
el extranjero. Pero al mismo tiempo, su poder y su influencia
empezaron a ser cada vez más pequeños en Cuba y en la URSS.
La economía cubana, que él había planificado en gran parte, no
estaba dando los resultados esperados. Surgieron movimientos en
contra del Che dentro del Gobierno cubano.

La URSS, además, no trataba a Cuba como el Che y Fidel
esperaban. Los soviéticos compraban los productos cubanos, pero
a un precio muy bajo, intentando conseguir el máximo beneficio.
Por este motivo, el Che empezó a hacer públicamente algunas
críticas, primero sutiles[11] y luego más directas, a la URSS. Guevara,

---

GLOSARIO

[6] **enfrentamiento**: guerra, lucha, pelea [7] **portavoz**: persona que habla en nombre de
un colectivo [8] **¡basta!**: interjección con la que se pide que algo termine [9] **echar a andar**:
comenzar a andar [10] **aumentar**: crecer [11] **sutil**: leve, tenue

58

además, no estaba de acuerdo con la política de «coexistencia pacífica» de los soviéticos. Pensaba que los países comunistas tenían que esforzarse por extender la revolución apoyando movimientos políticos y militares socialistas en todo el mundo.

En febrero de 1965, el Che pronunció el discurso más polémico de su carrera. Estaba en un seminario económico en Argel. Ante los delegados[12] de todos los países comunistas, el Che acusó a la URSS de no ser solidaria con el resto de los países del mundo socialista. Esta era una acusación muy grave. Las críticas del Che molestaron a los dirigentes soviéticos, pero también a los cubanos. Cuba no se podía permitir criticar al país que estaba sosteniendo[13] su economía. Cuando pronunció el discurso de Argel, el Che ya había tomado la decisión de dejar Cuba para formar una guerrilla en el Congo.

El Congo: la historia de un fracaso

«Esta es la historia de un fracaso» es la primera frase que el Che escribió en su cuaderno después de los siete meses que pasó en la República Democrática del Congo. A mediados de 1960, el antiguo Congo Belga logró la independencia. Patrice Emery Lumumba, después de haber pasado varios años en la cárcel por encabezar la lucha contra los belgas, fue elegido presidente. Sin embargo, Moise Kataima Tshombe fue elegido presidente de una región del país, Katanga. En esta zona de Congo estaban las minas de oro y diamantes que los belgas habían explotado desde 1908. Tshombe declaró la independencia de la región de Katanga con el apoyo de Bélgica, Estados Unidos y las Naciones Unidas. A las potencias occidentales les interesaba seguir beneficiándose de[14] la riqueza de las minas congoleñas. Por este motivo, Lumumba pidió apoyo militar a la URSS.

GLOSARIO

[12] **delegado**: representante [13] **sostener**: mantener, soportar [14] **beneficiarse de**: obtener una ventaja o un beneficio de

Apenas tres meses después de su elección, un coronel del Ejército congoleño, Joseph Désiré Mobutu, arrestó[15] al presidente Lumumba. En enero, Lumumba fue ejecutado. A partir de entonces, Mobutu y Tshombe organizaron la represión[16] de los seguidores de Lumumba. Estos se organizaron en un movimiento de oposición llamado Comité Nacional de Liberación (CNL), que lideraba Christophe Gbenye. Uno de los jefes de su ejército era Laurent Désiré Kabila. El Gobierno de Cuba decidió apoyar su lucha financiando su ejército y envió un grupo de guerrilleros para ayudar a los congoleños. Al mando del grupo estaba el Che.

El objetivo último del Che era ambicioso[17]: la guerrilla cubana (120 hombres dirigidos por Guevara) quería hacer la revolución en el Congo y extenderla después por todo el continente africano. Una misión imposible. El 19 de abril, el Che voló, con el nombre falso de Ramón Benítez, a Dar es Salaam, en Tanzania. En lugar de informar a Kabila, su contacto dentro del CNL, decidió ir directamente al Congo sin avisar a nadie. Cruzó más de mil kilómetros hasta la orilla del lago Tanganica, frontera natural entre Tanzania y la República Democrática del Congo. Los cubanos cruzaron el lago de noche para ocultarse[18] del ejército enemigo. En la otra orilla empezaría su misión: entrenar a soldados congoleños y enfrentarse a las tropas de Mobutu.

Una vez en el Congo, el Che, cuyo nombre en clave era Tatú, reveló[19] su identidad a los congoleños. Kabila, el jefe de operaciones del ejército en esa zona, estaba en Dar es Salaam. Cuando se enteró, sus órdenes para los cubanos fueron «esperar». Aseguró[20] al Che que llegaría al Congo cuanto antes[21] para iniciar los combates, pero «cuanto antes» significó más de cuatro meses. El Che y sus hombres esperaron y esperaron, deseosos de entrar en acción.

GLOSARIO

[15] **arrestar**: detener, apresar [16] **represión**: castigo y detención, por lo general con violencia [17] **ambicioso**: que tiene grandes objetivos [18] **ocultarse**: esconderse, no dejarse ver [19] **revelar**: contar algo que antes era secreto [20] **asegurar**: prometer, garantizar [21] **cuanto antes**: lo antes posible

Se encontraban en medio de un país cuya cultura e idioma no comprendían, apoyando a un ejército rebelde que funcionaba de manera absurda. Los soldados congoleños, por ejemplo, le contaron al Che que obtenían su fuerza de una poción mágica[22]. En realidad, con poción mágica o sin ella, cuando entraban en combate contra el enemigo, los rebeldes congoleños salían corriendo, ante la indignación de los cubanos.

Después de siete meses, el Che tuvo que asumir[23] que no tenía sentido seguir en el Congo. Los líderes del CNL decidieron retirarse. La guerra, que nunca había existido realmente, había terminado de manera vergonzosa[24]. «No hubo un solo rasgo de grandeza[25] en esa retirada», escribió Guevara. Pocos días después de que el CNL se marchara del frente[26], Mobutu dio un golpe de Estado y se hizo con el poder. Gobernó hasta 1997, año en que Kabila logró organizar un ejército de liberación y derrocar a Mobutu. En 2001, el presidente Kabila fue asesinado[27] por sus guardaespaldas[28].

GLOSARIO

[22] **poción mágica**: bebida que tiene poderes sobrenaturales [23] **asumir**: (aquí) aceptar, comprender [24] **vergonzoso**: indigno, deshonroso [25] **grandeza**: nobleza, dignidad [26] **frente**: lugar donde se lucha en una guerra [27] **asesinar**: matar intencionadamente a una persona [28] **guardaespaldas**: persona que acompaña a otra para protegerla

pista 11

9. El último viaje de Ramón

> «*Póngase sereno y apunte bien, va usted a matar a un hombre*»

«**E**ste señor es el tío Ramón, un amigo de papá», les dijo su madre. Los niños miraron al desconocido[1], que les sonreía[2]. Hacía más de un año que no veían a su padre. Se sentaron a la mesa para cenar. El tío Ramón ocupaba el lugar en que solía sentarse el padre. Después de la cena, el tío Ramón les pidió a los niños que le dieran un beso de despedida. El tío Ramón estaba llorando. Un rato después, el tío Ramón les dijo adiós y se marchó. Nunca volvieron a verlo.

¿Dónde está el Che?

En 1965, Che Guevara desapareció. Ningún gobernante cubano dijo nada sobre ello. El Che no estaba, pero nadie parecía estar dispuesto a dar una explicación. Finalmente, el 3 de octubre de 1965, Fidel Castro leyó públicamente una carta de Guevara. En ella, el Che se despedía de Fidel y del pueblo cubano. Renunciaba, además, a todos sus cargos en Cuba, e incluso a la nacionalidad cubana. «Otras tierras del mundo reclaman[3] el concurso[4] de mis modestos[5] esfuerzos»: el Che renunciaba a su

---

GLOSARIO

[1] **desconocido**: persona a la que no se conoce [2] **sonreír**: reírse levemente y sin ruido [3] **reclamar**: pedir, necesitar [4] **concurso**: (aquí) aplicación, puesta en práctica [5] **modesto**: humilde, sencillo

vida en Cuba, incluyendo su familia, para extender la revolución por otros países.

Cuando Castro leyó en público el texto se hicieron grandes homenajes de agradecimiento al Che. La carta se convirtió en lectura obligatoria en las escuelas cubanas. Se levantaron monumentos. El rostro de Guevara empezó a aparecer en las paredes de muchas calles de Cuba. El cantautor Carlos Puebla compuso una canción titulada *Hasta siempre, comandante*, que se convirtió en un himno en Cuba y en todo el mundo: «Aquí se queda la clara / la entrañable[6] transparencia[7] / de tu querida presencia / comandante Che Guevara», dice su famoso estribillo. El Che no pudo ver nada de esto: en ese momento estaba perdido en algún lugar del Congo, intentando hacer una revolución imposible.

El Che escribió su carta de despedida con la idea de hacerla pública solo después de su muerte. Pero Fidel no quiso esperar. Dijo que la presión de los medios de comunicación lo había obligado a dar una explicación sobre la desaparición de Guevara. Fueran cuales fueran[8] las intenciones de Fidel, el Che quedó enterrado[9] en vida. Después de la lectura pública de la carta, Guevara no podía volver al Gobierno cubano como si no hubiera ocurrido nada. Quedó condenado a la clandestinidad, a ser un fantasma invisible el resto de sus días.

Bolivia: territorio revolucionario

Después del fracaso en el Congo, no tenía demasiadas opciones. Tras unos meses de reflexión, decidió formar la guerrilla en Bolivia. Igual que fue al Congo pensando en hacer la revolución en toda África, ahora el Che soñaba con una revolución en Sudamérica.

[6] **entrañable**: íntimo, muy afectuoso [7] **transparencia**: cualidad de transparente, que a través de él puede verse lo que está al otro lado [8] **fueran cuales fueran**: independientemente de las que sean [9] **enterrar**: meter algo bajo la tierra (por ejemplo a una persona cuando ha muerto)

el fue una persona buena

Empezaría por Bolivia, el país más pobre y con mayores injusticias sociales del continente. 63

En 1966, Bolivia parecía el país perfecto para que triunfara una guerrilla al estilo cubano. El Che, que años antes había viajado por el país andino, conocía bien la situación de Bolivia. Los campesinos y los mineros vivían en condiciones miserables, explotados por ricos terratenientes y por compañías multinacionales extranjeras. — *mal* Los mineros, además, estaban bien organizados. La violencia de sus huelgas era famosa en todo el continente. Las diferencias entre blancos (descendientes[10] de los colonizadores españoles) e indígenas eran enormes. En Bolivia, más del 60% de la población era indígena, en su mayoría de etnia aimara. La mayoría vivía en la más extrema pobreza, sin acceso a la sanidad o a la educación, mientras los blancos formaban la clase alta de la sociedad. En 1966, el presidente boliviano era el general René Barrientos. Barrientos había organizado un golpe de Estado contra Víctor Paz Estenssoro en 1964. Así terminaba el ciclo que Estenssoro había iniciado en 1952, la «revolución» que al joven Ernesto Guevara le pareció insuficiente cuando visitó el país en 1953.

El Che organizó la expedición a Bolivia de manera muy similar a la del Congo. Tampoco en este caso tenía el apoyo claro de *no tiene apoyo* ningún partido u organización en Bolivia. El Partido Comunista de Bolivia (PCB), dirigido por Mario Monje, era en principio favorable a la lucha armada, pero el Che no llegó a ningún acuerdo con Monje antes de salir de viaje.

A Ernesto Guevara no le preocupaba demasiado no tener apoyos en las ciudades bolivianas. Su único contacto con el exterior dependía de una sola persona, la joven guerrillera argentina Tamara Bunke, cuyo nombre en clave era Tania, que estaba en La Paz. El Che confiaba totalmente en sí mismo y en la acción guerrillera. Pensaba que el país entero se pondría a favor de la guerrilla al empezar a luchar.

GLOSARIO

[10] **descendiente**: hijo, nieto o cualquier persona que desciende de otra

64

Pero su imaginación iba mucho más allá: desde Bolivia, la revolución continuaría en Argentina, el país donde había nacido. Sin duda, Guevara soñaba con volver, como en el tango, a su tierra, que había dejado hacía ya tantos años. Volver para hacer la revolución. Quizás el Che, en su fantasía, se veía a sí mismo como el nuevo libertador de Latinoamérica, el Simón Bolívar del siglo XX, el comandante revolucionario que, después de haber triunfado en Cuba, se lanzó de nuevo a la lucha para liberar su país del imperialismo y las dictaduras. Bolivia, Argentina, y luego, tal vez, el resto del continente...

La guerrilla Ñancahuazú

El Che contaba con 47 guerrilleros. Aparte de los 15 cubanos, la mayoría eran jóvenes bolivianos. La guerrilla tomó el nombre de «Ñancahuazú» porque el lugar que eligieron como campamento[11] estaba cerca de un río llamado así. El Che se instaló en una granja[12] en una zona poco poblada del departamento de Santa Cruz, en la zona este del país.

Nada más comenzar su actividad en Bolivia, el Che se encontró con la primera gran dificultad. El líder del PCB, Mario Monje, visitó Ñancahuazú. Los comunistas bolivianos no apoyaban la guerrilla del Che. No estaban de acuerdo con la lucha armada[13]. De esta forma, desde el principio de la lucha, el Che perdió todo el apoyo político en el país. Pero los guerrilleros siguieron adelante. Comenzaron a organizarse, a explorar el terreno. Intentaron contactar con varios campesinos y explicarles su proyecto revolucionario, pero Bolivia no era Cuba: mientras que en la isla los guajiros habían simpatizado enseguida con la revolución que proponía Fidel Castro, los campesinos de aquella zona de Santa Cruz ni siquiera comprendían bien el español. En lugar de ayudar a los guerrilleros, desconfiaron de ellos.

GLOSARIO

[11] **campamento**: lugar al aire libre donde viven personas por un tiempo [12] **granja:** finca dedicada a criar animales [13] **lucha armada**: guerra, enfrentamiento en el que se utilizan armas

Todo empezó a ir mal. En febrero de 1967, dos hombres desertaron[14] de la guerrilla. El Ejército boliviano los detuvo y los interrogó[15], y ellos contaron todo lo que sabían sobre los rebeldes: al mando del grupo estaba un hombre llamado Ramón, que en realidad era el famoso Che Guevara. Cuando el Gobierno de Barrientos tuvo noticia de esto, pidió ayuda a Estados Unidos. La CIA y el Ejército boliviano crearon un grupo especial de *rangers* para luchar contra los guerrilleros. Mientras tanto, los hombres del Che tuvieron que dejar el campamento, que fue registrado por el ejército.

Quedaron aislados: el aparato de radio que tenían se estropeó[16] y no podían emitir ningún mensaje. Además, Tania había dejado La Paz y se había unido a los soldados. El Che no tenía ningún contacto con el exterior. Los guerrilleros tuvieron que buscar otro lugar para establecerse mientras huían del Ejército boliviano.

La caza

En abril, el Che tomó la decisión de dividir su «ejército». Uno de los dos grupos, la segunda columna, se quedó cuidando varios enfermos. Pero finalmente tuvieron que abandonarlos para continuar la lucha. Entre ellos había un francés y un argentino: Régis Debray y Ciro Bustos. Los dos hombres se hicieron pasar por periodistas, pero los militares bolivianos los detuvieron, los interrogaron y los torturaron[17]. Ciro Bustos traicionó[18] a los guerrilleros: lo contó todo y además dibujó para el Ejército un retrato[19] de cada uno de los guerrilleros.

El general Barrientos envió más hombres a la zona donde estaba la guerrilla. Los militares bolivianos estaban por todas partes. Mientras tanto, las dos columnas guerrilleras intentaban

---

GLOSARIO

[14] **desertar**: abandonar el ejército [15] **interrogar**: hacer muchas preguntas [16] **estropear(se)**: averiar(se) [17] **torturar**: producir fuerte dolor físico o psíquico intencionadamente en un preso para conseguir información [18] **traicionar**: faltar a la fidelidad o la lealtad [19] **retrato**: pintura o dibujo de una persona

juntarse de nuevo, pero nunca lo consiguieron. Durante más de cuatro meses estuvieron dando vueltas por la selva boliviana, intentando localizar a sus compañeros. En agosto, la segunda columna fue destruida. Un campesino tuvo un breve encuentro con los guerrilleros, y poco después avisó a los militares. Mientras cruzaban un río siguiendo al campesino traidor, los nueve soldados del Che fueron acribillados[20].

Los *rangers* entrenados por la CIA sabían hacer su trabajo. Durante semanas siguieron el rastro[21] de la primera columna del Che. Solo quedaban 17 hombres que caminaban de noche, ocultándose. Estuvieron sin comer ni beber durante días. Desde agosto hasta octubre, el Che y sus hombres huían[22] hacia ninguna parte: el ejército estableció un cerco[23] a la zona donde estaban los guerrilleros. Poco a poco, lo iban cerrando.

«Salimos los 17 con una luna muy pequeña y la marcha fue muy fatigosa[24]», escribió el Che en su diario el 7 de octubre. Fue su última anotación. El día 8 se encontraron rodeados[25] por el ejército en un cañón[26] llamado Quebrada de Yuro. Los *rangers* habían cortado todas las salidas.

El combate en la Quebrada de Yuro duró varios días. No todos los guerrilleros vieron el final, entre ellos Guevara. El plan del Che, cuando se vio rodeado, era sencillo: esperar a que llegara la noche para intentar escapar[27] del cañón, pero no fue posible. Los *rangers* descubrieron a media mañana a uno de los guerrilleros y comenzaron a disparar. En el tiroteo, el Che resultó herido en la pierna. Poco después, los soldados lo apresaron y lo llevaron, junto a otro guerrillero capturado[28], al pueblo de La Higuera.

GLOSARIO

[20] **acribillar**: disparar repetidamente a alguien hasta matarlo [21] **rastro**: huella, marca, señal [22] **huir**: escapar, marcharse [23] **cerco**: asedio, situación en la que se rodea al enemigo [24] **fatigoso**: cansado, agotador [25] **rodear**: poner una o varias cosas alrededor de algo [26] **cañón**: paso estrecho entre dos montañas por el que corre o ha corrido un río [27] **escapar**: huir, recuperar la libertad [28] **capturar**: apresar, detener

La Higuera

Hacia las tres de la tarde del día 8 de octubre, el Che llegó a La Higuera junto con el otro guerrillero capturado, Simón Cuba, alias Willy. Los encerraron en la pequeña escuela del pueblo durante casi 24 horas, el tiempo que tardó el presidente Barrientos, en contacto constante con la CIA, en dar la orden: «Nada de[29] prisioneros». Fue preci-samente un agente de la CIA, Félix Rodríguez, quien recibió la orden de Barrientos en La Higuera y la transmitió a los militares bolivianos. El Che y Willy fueron ejecutados en secreto el día 9. Antes de fusilarlos, el Ejército boliviano emitió un comunicado oficial según el cual el Che Guevara había muerto en combate en la Quebrada de Yuro. La historia era muy difícil de creer, ya que los vecinos de La Higuera habían visto a los guerrilleros cuando los encerraron en la escuela. Enseguida se supo que los militares bolivianos habían ejecutado al Che a sangre fría[30].

El encargado de matarlo fue el sargento Mario Terán, que se ofre-ció voluntario[31]. Según él mismo declaró años después en una entre-vista a la revista *Paris Match*, aquella mañana estaba borracho[32]. A la una de la tarde, le ordenaron entrar en la escuela y matar al prisionero.

Mario Terán cogió su ametralladora[33] y abrió la puerta. En la oscura habitación entró la luz de la calle. El soldado cerró la puerta. El Che supo al momento lo que iba a ocurrir a continuación. Se levantó del suelo y se quedó quieto[34], mirando a los ojos al hombre que tenía enfrente. El soldado estaba borracho. Levantó su arma y apuntó al prisionero. Pasaron unos segundos, pero no ocurrió nada. El soldado parecía dudar. «Póngase sereno[35] y apunte[36] bien; va usted a matar a un hombre», dicen que dijo el Che. El soldado cerró los ojos. Disparó.

GLOSARIO

[29] **nada de**: ningún [30] **a sangre fría**: sin escrúpulos, con crudeza [31] **ofrecerse voluntario (para)**: ofrecerse por iniciativa propia para hacer algo [32] **borracho**: que está bajo el efecto del alcohol [33] **ametralladora**: arma de fuego automática que dispara muchas balas seguidas [34] **quieto**: inmóvil [35] **sereno**: tranquilo, (aquí) que no está bajo los efectos del alcohol [36] **apuntar**: concentrarse para disparar en la dirección adecuada y alcanzar el objetivo

pista 12

Epílogo. El fantasma

Los agujeros[1] de bala[2] eran como las llagas[3] de un crucificado[4]. El pelo y la barba, largos y enmarañados[5]. El pecho desnudo, manchado de tierra y de sangre. Pero lo que más impresionaba era la cara del muerto: los ojos, muy abiertos, parecían ver algo que estaba más allá del mundo de los vivos. La boca tenía un gesto extraño: podría decirse que el muerto estaba sonriendo.

Cuando Mario Terán ejecutó al Che en La Higuera, trasladaron su cuerpo en helicóptero a Vallegrande, la población de cierto tamaño más cercana a La Higuera. Allí fueron los primeros periodistas y fotógrafos que pudieron ver el cuerpo de Guevara. El cadáver[6] se instaló en el hospital de Vallegrande. Entraron los fotógrafos. No había dudas, se trataba del Che Guevara. Un rato después, se dejó pasar a los vecinos del pueblo. Algunas mujeres cogieron mechones[7] del pelo y de la barba del muerto: las viejas de Vallegrande pensaban que estaban viendo a Jesucristo.

La noticia dio la vuelta al mundo, y luego el cadáver desapareció. No se sabe con seguridad qué ocurrió con él. Primero

---

GLOSARIO

[1] **agujero**: abertura, perforación [2] **bala**: proyectil que se dispara con un arma de fuego [3] **llaga**: pequeña úlcera o lesión abierta que se produce en la piel [4] **crucificado**: persona clavada en una cruz [5] **enmarañado**: enredado [6] **cadáver**: cuerpo de una persona que ha muerto [7] **mechón**: porción del cabello de una persona

los militares bolivianos dijeron que había sido incinerado[8], y luego que lo habían enterrado en una fosa común[9] junto con otros guerrilleros muertos. Los militares solo conservaron, como prueba de su muerte, las manos amputadas[10] del Che. Las guardaron en una lata de pintura.

Tres meses antes de que Cuba celebrara el 30 aniversario[11] de la muerte del Che, en julio de 1997, un grupo de científicos argentinos y cubanos descubrió una fosa común en el cementerio de Vallegrande. Realizaron un examen forense[12] a los cadáveres y su conclusión fue que uno de los cuerpos era el del Che. Se llevaron los restos a Santa Clara, donde se estaba construyendo un enorme mausoleo[13] dedicado al revolucionario. Algunos científicos e historiadores han cuestionado[14] este hallazgo y han insinuado[15] que se trata de una operación de propaganda y que los restos del Che podrían ser falsos.

El Che vive

«El Che vive»: esta frase se puede leer en muchos de los *souvenirs* que los turistas compran hoy en Vallegrande. La ciudad se ha convertido en la principal visita de «La ruta del Che», un circuito turístico que atrae a miles de visitantes a la provincia boliviana de Santa Cruz.

La explotación turística de «La ruta del Che» en Bolivia es solo un ejemplo de la gigantesca mitomanía que provoca Guevara en todo el mundo. El famoso retrato fotográfico realizado por Alberto Korda en 1960 es ya un icono del siglo XX. Camisetas,

---

GLOSARIO

[8] **incinerar**: quemar un cadáver [9] **fosa común**: lugar donde se entierran los muertos que no pueden tener una sepultura propia [10] **amputado**: cortado, separado del cuerpo [11] **aniversario**: día en que se cumplen los años de algún acontecimiento [12] **examen forense**: examen que se realiza por encargo de la justicia para investigar cuestiones de medicina legal [13] **mausoleo**: construcción grandiosa en la que se entierra a una persona importante [14] **cuestionar**: dudar de la veracidad de algo [15] **insinuar**: afirmar de forma indirecta

gorras, mochilas, *posters*, libros, películas… e incluso muñecos que fuman un cigarro habano y llevan un fusil. «Todos se compran la remerita[16] del Che / sin saber quién fue», dice en su canción *Mc Guevara's o Che Donald's* el cantautor argentino-estadounidense Kevin Johansen.

En 2007, se cumplieron 40 años de la muerte del Che Guevara. En tres países sudamericanos, el aniversario se celebró de manera especial: Bolivia, Cuba y Venezuela. En Bolivia, el presidente Evo Morales participó en un ritual indígena en el que se invocó[17] el espíritu del Che. En Cuba, Fidel Castro y Hugo Chávez hablaron durante horas sobre la lucha de Guevara en *Aló presidente*, el programa de televisión en el que todos los domingos el presidente venezolano ofrece su peculiar espectáculo mediático.

Chávez, Morales y Fidel. ¿Representan en la actualidad Venezuela, Bolivia y Cuba la esperanza del Che de una Sudamérica revolucionaria? Parece muy difícil defender algo así. Cada uno de los tres países ha realizado, en mayor o menor medida, su particular «revolución». Revoluciones llenas de luces y sombras, que siembran dudas entre la propia izquierda de todo el mundo acerca de algunas de las decisiones que tomaron sus carismáticos dirigentes.

En los tres países, la imagen del Che forma ya parte de la iconografía oficial: el rostro[18] del revolucionario argentino adorna muros, fachadas de edificios y carteles. Es la imagen de un hombre muerto hace ya muchos años, cuyo fantasma intentan resucitar los tres presidentes «revolucionarios» de la actualidad para recordar valores positivos que justifiquen sus políticas de hoy. El Che sigue representando una idea abstracta y pura de revolución, que Chávez, Morales o Fidel tratan de utilizar en su favor. Puede que muchos en Venezuela, Bolivia o Cuba cuestionen a sus actuales líderes políticos, pero dentro de la izquierda política muy pocos cuestionan al Che.

GLOSARIO

[16] **remera**: (en Argentina) camiseta [17] **invocar**: llamar solemnemente [18] **rostro**: cara

Con el paso del tiempo, el Che se ha convertido en la personificación de valores como el sacrificio, la decisión, la solidaridad, la honestidad y la lucha por la justicia social. Representa además el romanticismo del viajero, el aventurero, el vagabundo; el romanticismo perfecto del rebelde con causa: renunció a una vida cómoda para conocer el mundo, y luego intentó luchar contra las injusticias que se encontró a lo largo de su vida.

Dejó el poder a tiempo para ser un héroe; murió a tiempo para ser un mito. El Che ya no estaba allí cuando, tras la caída de la URSS, el dólar volvió a ser moneda de curso legal[19] para sostener la economía de Cuba. No tuvo que ver cómo los médicos e ingenieros cubanos estaban obligados a ausentarse de[20] sus trabajos para ganarse un dinero extra en dólares, trabajando como taxistas o vendedores clandestinos de cigarros habanos. No vio cómo la isla se empobrecía hasta límites extremos, ni cómo el dinero se convertía en la gran obsesión de los cubanos. El Che no tuvo que envejecer aferrándose al[21] poder a toda costa[22] mientras el sueño revolucionario se desvanecía[23] a partir de 1989.

El Che, después de dejar el Gobierno cubano tras una cuestionada gestión de la economía y la política exterior de la isla, murió ejecutado a sangre fría a los 39 años. Ocurrió en el último rincón[24] del mundo, una aldea lejana del oriente de Bolivia. Solo así logró conservar la pureza de los ideales por los que luchaba. La puesta en práctica de esos ideales era tarea para otros hombres, no para el mítico revolucionario Che Guevara.

GLOSARIO

[19] **moneda de curso legal**: moneda corriente, forma de pago aceptada en un país [20] **ausentarse de**: faltar, no estar [21] **aferrarse a**: agarrarse con fuerza y no soltar algo [22] **a toda costa**: a cualquier precio [23] **desvanecerse**: desaparecer, evaporarse [24] **rincón**: lugar apartado

Notas culturales

Prólogo. El hombre invisible
Doctor: En muchos países de Latinoamérica se utiliza el término «doctor» para referirse a una persona aunque no sea médico. Es una fórmula de cortesía.
Gallego: Por razones económicas, una gran parte de la población de la región española de Galicia emigró a América a lo largo de los siglos XIX y XX. Por eso, en muchos países de Latinoamérica se llama todavía hoy «gallegos» a los españoles o sus descendientes.

1. Las montañas de Córdoba
Yerba mate: Planta con la que se hace una infusión (bebida a base de agua muy caliente y hierbas) que se bebe sobre todo en Argentina y Uruguay.

2. *Mi Buenos Aires querido*
Carlos Gardel (1890-1935): Cantante, compositor y actor de cine de nacionalidad argentina. Está considerado el tanguero (cantante de tangos) más importante de la primera mitad del siglo XX.
Eva Perón (1919-1952): María Eva Duarte de Perón fue una actriz y política argentina. Se casó con el general Juan Domingo Perón y se convirtió en la primera dama durante el peronismo. Popularmente se la conoce como Evita.

3. Recorriendo América
La pampa argentina: También conocida como «región pampeana», es una extensa llanura de tierra verde y muy fértil que se extiende entre Argentina, Uruguay y el estado brasileño de Río Grande del Sur. En ella viven los gauchos.
Etnia aimara: Etnia indígena americana que vivía en la meseta andina del lago Titicaca antes de la colonización española.
Etnia quechua: Conjunto de pueblos indígenas de los Andes del sur de Perú, Bolivia y el norte de Chile.

Cuzco, «el ombligo del mundo»: Ciudad peruana situada en la cordillera de los Andes y antigua capital del Imperio inca. Su nombre viene de *Qosqo*, que significa «ombligo» en quechua. Para los incas, Cuzco era el ombligo (el centro) del mundo.

Machu Picchu: Antigua ciudad inca de principios del siglo XV.

Pachamama: Diosa principal entre las creencias religiosas de los Andes centrales de América del Sur.

United Fruit Company: Multinacional estadounidense que se dedicaba a la explotación de grandes plantaciones de frutas tropicales en Sudamérica. Desapareció en 1970.

Asalto al cuartel Moncada: El cuartel Moncada era un cuartel militar de Santiago de Cuba. El 26 de julio de 1953 un grupo de guerrilleros que se oponían a la dictadura de Fulgencio Batista y liderados por Fidel Castro intentaron asaltar el cuartel, pero fracasaron. Este hecho se considera el comienzo de la Revolución cubana.

5. Rumbo a Cuba

Granma: El Granma era un yate de recreo que Fidel Castro compró en México a un traficante de armas. En él viajaron los guerrilleros revolucionarios y es un símbolo de la Revolución cubana.

6. Los barbudos de Sierra Maestra

José Martí (1853-1895): José Julián Martí y Pérez fue un político, pensador, periodista, filósofo y poeta cubano que tuvo un papel fundamental en la guerra de Independencia cubana.

República bananera: Término peyorativo (es decir, negativo) que se usa para describir un país pobre, políticamente inestable, gobernado por una dictadura corrupta. Su economía se basa en materia prima de escaso valor económico y las empresas extranjeras tienen mucho poder.

Guajiro: Campesino de Cuba y otras regiones del Caribe y las Antillas.

Guerra de guerrillas: Táctica militar que consiste en realizar pequeños ataques a un ejército más poderoso.

Glosario

ESPAÑOL	INGLÉS	FRANCÉS	ALEMÁN

Prólogo. El hombre invisible

ESPAÑOL	INGLÉS	FRANCÉS	ALEMÁN
[1] invisible	invisible	invisible	unsichtbar
[2] en posición de firmes	at attention	au garde-à-vous	in strammer Stellung
[3] comandante	commanding officer	commandant	Major
[4] estar al mando de	to be in command	diriger/ commander	das Kommando haben
[5] finca	ranch/farm	maison à la campagne	Landgut
[6] entrenamiento	training	entraînement	Ausbildung
[7] respetuosamente	respectfully	respectueusement	respektvoll
[8] pipa	pipe	pipe	Pfeife
[9] decepcionado	disappointed	deçu	enttäuscht
[10] oficinista	clerk	employé de bureau	Büroangesttellter
[11] desprecio	disdain/scorn	mépris	Verachtung
[12] comemierda	useless heap of crap («shit-eater»)	pauvre type/con	Flasche
[13] insulto	insult	insulte	Beleidigung
[14] muchacho	lad/guy	gars	Junge
[15] olivo	olive (tree)	olivier	oliv(grün)
[16] derrocar	to bring down	renverser	stürzen
[17] rumor	rumour/rumor	rumeur	Gerücht
[18] incluso	even (emphatic)	même	sogar
[19] emocionante	moving	émouvant	ergreifend
[20] broma	joke	plaisanterie	Witz
[21] disfraz	disguise	déguisement	Verkleidung
[22] engañar	to take in/dupe	tromper	täuschen
[23] miope	myopic	myope	kurzsichtig
[24] sospechar	to suspect	soupçonner	Verdacht schöpfen
[25] recuperar	to regain	reprendre	wiedererlangen
[26] ejecución	execution	exécution	Hinrichtung
[27] batallón	battalion	bataillon	Bataillon
[28] apresar	to take (someone) prisoner	capturer	gefangennehmen

ESPAÑOL	INGLÉS	FRANCÉS	ALEMÁN

1. Las montañas de Córdoba

ESPAÑOL	INGLÉS	FRANCÉS	ALEMÁN
[1] **tiritar**	to tremble/shake	grelotter	zittern
[2] **barco a vapor**	steamboat	bateau à vapeur	Dampfschiff
[3] **recorrido**	journey	parcours	Strecke
[4] **embarazada**	pregnant	enceinte	schwanger
[5] **panza**	belly/stomach	ventre	Bauch
[6] **primogénito**	first-born	aîné	erstgeboren
[7] **yerbal**	maté plantation	champ de maté	Matepflanzung
[8] **húmedo**	humid /damp	humide	feucht
[9] **monja**	nun	religieuse	Nonne
[10] **astillero**	shipyard	chantier naval	Schiffswerft
[11] **asma**	asthma	asthme	Asthma
[12] **empeorar**	to worsen	empirer	sich verschlechtern
[13] **estar dispuesto a**	to be willing to	être prêt à	bereit sein zu
[14] **protegido**	protected	protégé	Schützling
[15] **ahogarse**	to suffocate	s'étouffer	ersticken
[16] **adolescencia**	teenage years	adolescence	Jugend
[17] **espejismo**	dream/false hope	mirage	Illusion
[18] **incurable**	incurable	incurable	unheilbar
[19] **obligar**	to make someone do something	obliger	zwingen
[20] **acompañar**	to accompany	accompagner	begleiten
[21] **lamentarse**	to feel sorry for (yourself)	se plaindre	jammern
[22] **escalar**	to climb	grimper sur	klettern
[23] **travieso**	mischievous	espiègle	unartig
[24] **liderazgo**	leadership	commandement	Führertum
[25] **bando**	sides (in a conflict)	camp	Macht
[26] **apoyar**	to support	soutenir	unterstützen
[27] **sindicato**	union	syndicat	Gewerkschaft
[28] **habilidad**	ability/skill	don	Talent
[29] **perseguir**	to persecute	persécuter	verfolgen
[30] **reconocer**	to recognise	admettre	zugeben

2. Mi Buenos Aires querido

ESPAÑOL	INGLÉS	FRANCÉS	ALEMÁN
[1] **estrellarse**	to crash	s'écraser	abstürzen
[2] **ira**	wrath	colère	Zorn
[3] **nacionalizar**	to nationalise	nationaliser	verstaatlichen
[4] **ferrocarril**	railways/railroads	chemin de fer	Eisenbahn
[5] **cobertura**	cover	couverture	Deckung
[6] **sufragio femenino**	women's suffrage	suffrage féminin	Wahlrecht für Frauen
[7] **ímpetu**	impetus/energy	énergie	Leidenschaft

glosario

ESPAÑOL	INGLÉS	FRANCÉS	ALEMÁN
8 ajedrez	chess	échecs	Schach
9 cruce de miradas	(an) exchanged glance	croisement des regards	Begegnung zweier Blicke
10 sentirse atraído por	to feel attracted to	se sentir attiré par	sich angezogen fühlen von
11 pedalear	to pedal	pédaler	in die Pedale treten
12 destino	destination	destination	Ziel
13 barbudo	bearded	barbu	bärtiger Mann
14 al aire libre	open air	à la belle étoile	unter freiem Himmel
15 ganadero	stockbreeder	éleveur de bestiaux	Viehzüchter
16 sencillo	simple/humble	simple	unkompliziert
17 asilado	inmate/detainee	détenu	Häftling
18 peatón	passer-by	piéton	Fußgänger
19 ansioso	keen to	impatient	unruhig
20 intimar	to share confidences/ become close	devenir intime avec quelqu'un	vertraut werden
21 solidez	toughness	solidité	Zuverlässigkeit
22 boina	beret	béret	Baskenmütze
23 burgués	bourgeois	bourgeois	Spießbürger
24 acomodado	comfortable	aisé	wohlhabend
25 trotamundos	globetrotter	voyageur/globe-trotter	Weltenbummler
26 por nada del mundo	not for anything in the world	pour rien au monde	um nichts in der Welt
27 licenciatura	graduation	diplôme supérieur universitaire	Staatsexamen
28 aprobar	to pass (an exam)	réussir	bestehen
29 pendiente	remaining/still to do	à rattraper	noch nicht bestanden
30 proeza	feat	prouesse	Heldentat
31 estar a punto de	to be about to	être sur le point de	kurz davor sein
32 andén	platform	quai	Bahnsteig
33 ponerse en marcha	to set off	se mettre en marche	losfahren
34 barra	circle of close friends	groupe d'amis	Freundeskreis
35 emprender la retirada	to sound/begin a retreat	partir	den Rückzug antreten

3. Recorriendo América

1 sino	fate	destin	Schicksal
2 bandera	flag	drapeau	Fahne
3 empapar(se)	to immerse (oneself) in	s'imbiber	eintauchen in
4 miseria	misery	misère	Elend
5 recodo	bend in the road	détour	Straßenecke

ESPAÑOL	INGLÉS	FRANCÉS	ALEMÁN
[6] **senda**	pathway/road	sentier	Pfad
[7] **aliviar**	to relieve	calmer	lindern
[8] **vagar**	to drift	errer	herumirren
[9] **llanura**	plain	plaine	Flachland
[10] **a toda velocidad**	at full speed	à toute vitesse	bei vollem Tempo
[11] **derrapar**	to skid	déraper	schleudern
[12] **alambre**	wire	fil de fer	Draht
[13] **tornillo**	screw	vis	Schraube
[14] **renunciar a**	to give up/renounce	renoncer	verzichten auf
[15] **agotado**	worn-out	épuisé	erschöpft
[16] **labia**	gift of the gab	bagout	Beredsamkeit
[17] **hacerse pasar por**	to pass (themselves) off as	se faire passer pour	sich ausgeben als
[18] **lepra**	leprosy	lèpre	Lepra
[19] **cuento**	story/invention	histoire	Geschichte
[20] **hacer autostop**	to hitch-hike	faire de l'auto-stop	per Anhalter fahren
[21] **colarse**	to stowaway	se faufiler	sich ein-/an Bord schmuggeln
[22] **alta mar**	at sea	haute mer	hohe See
[23] **a cambio**	in exchange	en échange	dafür
[24] **junco**	reed	jonc	Schilfrohr
[25] **yacimiento arqueológico**	archaeological site	site archéologique	archäologischer Fundort
[26] **leprología**	leprosy treatment	léprologie	Lepraforschung
[27] **leprosería**	leper colony	léproserie	Leprastation
[28] **balsa**	raft	radeau	Floß
[29] **hostil**	hostile	hostile	feindselig
[30] **avión de mercancías**	cargo plane	avion-cargo	Frachtflugzeug
[31] **rascacielos**	high-rise	gratte-ciel	Wolkenkratzer
[32] **armadillo**	armadillo	tatou	Gürteltier
[33] **voto**	vote	vote	Stimmrecht
[34] **analfabeto**	illiterate	analphabète	Analphabet
[35] **mina**	land-mine	mine	Mine, Bergwerk
[36] **estaño**	tin (metal)	étain	Zinn
[37] **llevar a cabo**	to carry out	réaliser	durchführen
[38] **reforma agraria**	agrarian reform	réforme agraire	Agrarreform
[39] **de izquierdas**	left-wing	de gauche	linksgerichtet
[40] **por casualidad**	by chance	par hasard	zufälligerweise

4. «En una de esas frías noches de México…»

[1] **columna**	column	colonne	Kolonne
[2] **mercenario**	mercenary	mercenaire	Söldner

ESPAÑOL	INGLÉS	FRANCÉS	ALEMÁN	79
[3] **armado**	armed	armé	bewaffnet	
[4] **aviación**	air force	aviation	Luftwaffe	
[5] **fusil**	rifle	fusil	Gewehr	
[6] **cinto**	belt	ceinture	Gürtel	
[7] **espectador**	onlooker	spectateur	Zuschauer	
[8] **afiliarse a**	to join up	s'affilier à	eintreten in	
[9] **atreverse a**	to dare to	oser	wagen zu	
[10] **disidente**	dissident	dissident	Dissident	
[11] **severo**	severe	sévère	streng, ernst	
[12] **incierto**	imprecise	incertain	zweifelhaft	
[13] **refugiado**	refugee	réfugié	Flüchtling	
[14] **militante**	activist/member	militant	Aktivist	
[15] **mitin**	meeting	meeting	Versammlung	
[16] **seducir**	to seduce	séduire	verführen	
[17] **bombardeo**	bombing	bombardement	Bombenangriff	
[18] **expropiar**	to expropriate	expropier	enteignen	
[19] **informe**	to report	rapport	Bericht	
[20] **rendirse**	to surrender	se rendre	sich ergeben	
[21] **milicia**	militia	milice	Miliz	
[22] **hacerse con**	to take (over)/assume	s'approprier	übernehmen	
[23] **encarcelar**	to imprison	incarcérer	einsperren	
[24] **visado**	visa	visa	Visum	
[25] **alergología**	allergy treatment	allergologie	Allergologie	
[26] **por sorpresa**	without warning	par surprise	überraschend	
[27] **detener**	to arrest/detain	arrêter	festnehmen	
[28] **fracaso**	failure/disaster	échec	Fiasko	
[29] **en solitario**	alone	en solitaire	allein/unabhängig	

5. Rumbo a Cuba

[1] **desembarcar**	to disembark	débarquer	landen
[2] **resucitar**	to revive/resuscitate	ressusciter	von den Toten auferstehen
[3] **preparativos**	preparations/training	préparatifs	Vorbereitungen
[4] **combatiente**	fighter	combattant	Kämpfer/ Kriegsteilnehmer
[5] **rancho**	ranch	maison à la campagne	Ranch
[6] **asalto**	assault	assaut	Angriff
[7] **cuartel**	military base	caserne	Kaserne
[8] **adivinar**	to work out/guess	deviner	vorhersehen
[9] **facilidad de palabra**	loquacious	facilité de parole	Redegabe
[10] **soborno**	bribe	pot-de-vin	Bestechung
[11] **gratitud**	gratitude	gratitude	Dankbarkeit

ESPAÑOL	INGLÉS	FRANCÉS	ALEMÁN
[12] clandestino	clandestine	clandestin	geheim/ im Untergrund
[13] yate	launch/yacht	yacht	Jacht
[14] estar previsto	to be planned	être prévu	vorgesehen sein
[15] ciénaga	swamp	marécage	Sumpfgebiet
[16] barro	mud	boue	Schlamm
[17] mosquito	mosquito	moustique	Mücke
[18] detectar	to detect/locate	détecter	entdecken/ registrieren
[19] manglar	mangrove	mangrove	Mangrovensumpf
[20] sombra	shadow	ombre	Gespenst, Schattenbild
[21] fantasma	ghost	fantôme	Erscheinung
[22] matanza	slaughter	tuerie	Blutbad/Gemetzel
[23] de milagro	against all odds	par miracle	wie durch ein Wunder
[24] tiroteo	shootout	fusillade	Schießerei
[25] tiro de gracia	coup de grace	coup de grâce	Gnadenschuss
[26] congelación	freezing	congélation	Erfrierung

6. Los barbudos de Sierra Maestra

[1] aplastar	to crush	écraser	niederschlagen
[2] títere	puppet-governor	marionnette	Marionette
[3] evitar	to prevent	éviter	verhindern
[4] elecciones	election	élections	Wahlen
[5] descarado	brazen	insolent	unverschämt
[6] en efectivo	(in) cash	en espèces/en liquide	bar
[7] en eso	that is when	sur/à ce moment	in dem Moment
[8] atender	to treat (medical sense)	soigner	behandeln
[9] acorralado	cornered	traqué	umzingelt
[10] escondite	hiding place	cachette	Versteck
[11] sabotear	to sabotage	saboter	sabotieren
[12] refuerzo	reinforcement	renforts	Verstärkung
[13] blindado	armour-plated	blindé	gepanzert
[14] descarrilar	to derail	dérailler	entgleisen

7. La Habana roja

[1] tanque	tank	tank	Panzer
[2] confuso	unclear/confused	confus	verworren/konfus
[3] sandía	watermelon	pastèque	Wassermelone
[4] esforzarse por	to try hard to	s'efforcer de	sich bemühen
[5] acusar	to accuse	accuser	beschuldigen
[6] mentira	lie	mensonge	Lüge

ESPAÑOL	INGLÉS	FRANCÉS	ALEMÁN	81
[7] trabajo sucio	(the) dirty work	sale boulot	dreckige Arbeit	
[8] alcaide	jailor	directeur de prison	Gefängnisvorsteher	
[9] criminal de guerra	war criminal	criminel de guerre	Kriegsverbrecher	
[10] crudeza	harshness	rudesse	Härte/Brutalität	
[11] fusilar	to execute by firing squad	fusiller	erschießen/ hinrichten	
[12] juez	judge	juge	Richter	
[13] en la sombra	unofficial/behind the scenes	caché/officieux	im Schatten	
[14] impulsor	promoter	promoteur	treibende Kraft	
[15] parcela	plot of land/allotment	parcelle	Parzelle	
[16] terrateniente	(large) landowner	propriétaire terrien	Großgrundbesitzer	
[17] indemnización	compensation	indemnité	Abfindung/ Entschädigung	
[18] chiste	joke	blague	Witz	
[19] desconfiar de	to mistrust	se méfier de	misstrauen	
[20] encantado	delighted	enchanté	begeistert	
[21] impedir	to prohibit/ban	empêcher	unterbinden	
[22] amenazar	to threaten	menacer	drohen	
[23] retirar	to remove	retirer	entfernen/ zurückziehen	
[24] en lugar de	instead of	au lieu de	anstatt	
[25] indignación	indignation/anger	indignation	Entrüstung/Zorn	

8. La otra mitad del mundo

[1] intransigente	intransigent	intransigeant	unnachgiebig
[2] aprovecharse de	to take advantage of	profiter de	Nutzen ziehen aus
[3] gasolina	petrol/gasoline	essence	Benzin
[4] sacrificio	sacrifice	sacrifice	Opfer
[5] desfavorecido	underprivileged	défavorisé	benachteiligt
[6] enfrentamiento	confrontation	affrontement	Konfrontation
[7] portavoz	spokesperson	porte-parole	Sprecher
[8] ¡basta!	enough	assez/ça suffit	genug!/es reicht!
[9] echar a andar	to stand up for itself	se mettre en marche	laufen lernen
[10] aumentar	to grow/increase	augmenter	wachsen
[11] sutil	subtle	subtil	vorsichtig/subtil
[12] delegado	delegate	représentant	Repräsentant
[13] sostener	hold up/maintain	soutenir	tragen/unterstützen
[14] beneficiarse de	to make a profit out of	bénéficier de	Nutzen ziehen aus
[15] arrestar	to arrest	arrêter	verhaften
[16] represión	repression	répression	Unterdrückung
[17] ambicioso	ambitious	ambitieux	ambitiös
[18] ocultarse	to hide	se cacher	sich verborgen halten

ESPAÑOL	INGLÉS	FRANCÉS	ALEMÁN
[19] revelar	to reveal	révéler	preisgeben
[20] asegurar	to assure/promise	assurer	zusichern
[21] cuanto antes	as soon as possible	le plus vite possible	so bald wie möglich
[22] poción mágica	magic potion	potion magique	Zaubertrank
[23] asumir	to come to terms with	accepter	akzeptieren
[24] vergonzoso	shameful/ embarrassing	honteux	peinlich/ beschämend
[25] grandeza	greatness	grandeur	Würde
[26] frente	front (military)	front	Front
[27] asesinar	to assassinate	assassiner	ermorden
[28] guardaespaldas	bodyguard	garde du corps	Leibwächter

9. El último viaje de Ramón

[1] desconocido	unknown	inconnu	fremder Mann
[2] sonreír	to smile	sourire	anlächeln
[3] reclamar	to require/demand	réclamer	verlangen nach
[4] concurso	undivided attention	intervention	Mitwirken
[5] modesto	20/2/11	modest	bescheiden
[6] entrañable	charming/warm	cher	geliebt/innig
[7] transparencia	clarity/transparency	transparence	Durchsichtigkeit
[8] fueran cuales fueran	whatever they were	quels que furent	welche auch immer gewesen seien
[9] enterrar	to bury	enterrer	begraben
[10] descendiente	descendant	descendant	Abkömmling
[11] campamento	camp/base	campement	Lager
[12] granja	farmhouse	ferme	Farm/Landgut
[13] lucha armada	armed struggle	lutte armée	bewaffneter Kampf
[14] desertar	to desert	déserter	desertieren
[15] interrogar	to interrogate	interroger	verhören
[16] estropear(se)	to break down	tomber en panne	kaputt gehen
[17] torturar	to torture	torturer	foltern
[18] traicionar	to betray	trahir	verraten
[19] retrato	portrait	portrait	Porträt
[20] acribillar	to machine gun	cribler de balles	(wie ein Sieb) durchlöchern
[21] rastro	trace/track	trace	durchlöchern Fährte
[22] huir	to run away	fuir	fliehen
[23] cerco	siege	siège	Belagerung
[24] fatigoso	tiring/exhausting	fatigant	mühsam
[25] rodear	to surround	cerner	umzingeln
[26] cañón	canyon	canyon	Schlucht
[27] escapar	to escape	s'échapper	entkommen
[28] capturar	to capture	capturer	gefangen nehmen

ESPAÑOL	INGLÉS	FRANCÉS	ALEMÁN	83
29 **nada de**	absolutely no (+ noun)	(ne vouloir) aucun	keine	
30 **a sangre fría**	in cold blood	de sang-froid	kaltblütig	
31 **ofrecerse voluntario (para)**	to volunteer	se porter volontaire pour	sich freiwillig melden (für)	
32 **borracho**	drunk	saoul	betrunken	
33 **ametralladora**	machine gun	mitrailleuse	Maschinengewehr	
34 **quieto**	still	immobile	still	
35 **sereno**	calm/sober	sobre	ruhig/gefasst	
36 **apuntar**	to aim	viser	zielen	

Epílogo. El fantasma

1 **agujero**	hole	trou	Loch
2 **bala**	bullet	balle	Kugel
3 **llaga**	wound	plaie	offene Wunde
4 **crucificado**	crucified	crucifié	gekreuzigt
5 **enmarañado**	matted/tangled	emmêlé	zerzaust
6 **cadáver**	corpse	cadavre	Leiche
7 **mechón**	lock of hair	mèche	Strähne
8 **incinerar**	to incinerate/ cremate	incinérer	einäschern
9 **fosa común**	common grave	fosse commune	Gemeinschaftsgrab
10 **amputado**	amputated	amputé	amputiert
11 **aniversario**	anniversary	anniversaire	Jahresgedächtnis
12 **examen forense**	forensic examination	examen post-mortem réalisé par un médecin légiste	gerichtsmedizinische Untersuchung
13 **mausoleo**	mausoleum	mausolée	Mausuleum
14 **cuestionar**	to question	remettre en question	in Frage stellen
15 **insinuar**	to insinuate/suggest	insinuer/laisser entendre	andeuten
16 **remera**	T-shirt	tee-shirt	T-Shirt
17 **invocar**	to invoke	invoquer	beschwören
18 **rostro**	face	visage	Antlitz
19 **moneda de curso legal**	legal tender	monnaie ayant cours légal	gesetzliches Zahlungsmittel
20 **ausentarse de**	to take time off/ out from (work, etc)	s'absenter	fernbleiben von/ fehlen
21 **aferrarse a**	to cling on to (something)	s'accrocher à	beharren auf/ sich klammern an
22 **a toda costa**	at any cost	à tout prix	um jeden Preis
23 **desvanecerse**	to collapse/ vfade away	s'évanouir	schwinden
24 **rincón**	backwater	recoin	entlegener Ort

actividades

Cómo trabajar con este libro

Grandes Personajes es una serie de biografías de personajes de la cultura del mundo hispanohablante. Cada libro está escrito en forma de reportaje y narra la vida de la persona desde su nacimiento hasta su muerte.

Para facilitar la lectura, al final de cada página hay un glosario en español con las palabras y expresiones más difíciles. Además, se incluyen varios recuadros que aportan información adicional sobre un tema relacionado con el capítulo al que acompañan. Al final del libro hay además un glosario en inglés, francés y alemán y notas culturales sobre algunos conceptos del mundo del español que aparecen en el texto.

El libro se complementa con una sección de actividades que tiene la siguiente estructura:

a) «Antes de leer». **Recomendamos realizar las actividades de esta sección antes de empezar a leer el texto**, ya que ayudarán a activar los conocimientos que tiene el lector sobre el tema y facilitarán la comprensión.

b) «Durante la lectura». Son **actividades destinadas a pautar la comprensión** de los diferentes capítulos y a ejercitar la comprensión auditiva mediante el trabajo con el CD.

c) «Después de leer». Se trata de propuestas variadas que **permiten poner en práctica la comprensión auditiva y de lectura, la expresión oral y escrita, la interacción oral y escrita y la mediación**. Tienen un carácter predominantemente abierto para que el propio lector (o el profesor que lee el libro con sus alumnos) pueda decidir cómo trabajar con ellas según sus necesidades. En muchas de ellas se propone un repaso al contenido del libro. En cada caso, **el lector puede decidir si vuelve a leer el fragmento en cuestión o prefiere escuchar la grabación del CD correspondiente**. Igualmente, puede decidir si hace las actividades por escrito o de forma oral, en interacción con otros hablantes.

d) «Léxico». Actividades para **la sistematización, la profundización y la ampliación del vocabulario**. Se tiene en cuenta que cada hablante tiene unos intereses y un bagaje personal específicos. Por eso se combinan actividades de respuesta cerrada con actividades más abiertas.

e) «Cultura». Esta sección contiene **propuestas para profundizar en los temas culturales** del libro.

f) La sección «Internet» propone **páginas web interesantes** para seguir investigando.

g) Por último, se facilitan las **soluciones** de las actividades de respuesta cerrada y propuestas de solución para algunas actividades de carácter más abierto.

ANTES DE LEER

1. ¿Qué crees que significa «che»? Escríbelo aquí.

2. El Che fue un revolucionario. ¿Qué asocias tú con la palabra «revolución»?

3. Escoge una de las fotografías que te llame la atención y descríbela. ¿Por qué la has escogido? ¿Qué aspecto tiene el Che en ella?

4. ¿Qué opinas tú de la figura del Che Guevara?

DURANTE LA LECTURA

Prólogo-Capítulo 2

5. ¿Qué factores de la infancia del Che crees que marcaron su carácter? ¿Crees que fue un niño feliz?

6. Dibuja en un mapa de Sudamérica la ruta del primer viaje de Ernesto.

Capítulos 3-5

7. ¿Qué importancia tienen las siguientes cosas y personas en la vida del Che? Contesta como en el ejemplo.

Ejemplo: La Poderosa II era la motocicleta de Alberto Granado. En ella viajaron Alberto y Ernesto por Sudamérica. Este viaje fue fundamental en la vida del Che.

8. ¿Qué diferencias encontró el Che entre los diferentes países que visitó en su viaje? ¿Crees que prepararon su camino futuro?

9. ¿Crees que los barbudos de Sierra Maestra eran héroes, delincuentes u otra cosa? ¿Por qué?

10. ¿Qué te parece el concepto del «hombre nuevo»?

11. «Póngase sereno y apunte bien; va usted a matar a un hombre». ¿Qué dice esta cita sobre la personalidad y los valores del Che?

Capítulo 9-Epílogo

12. Después de leer la experiencia del Che en el Congo y en Bolivia, ¿crees que era posible exportar la Revolución cubana a otros países? ¿Por qué?

13. ¿Por qué titula Kevin Johansen su canción sobre el Che *Mc Guevara's* o *Che Donald's*? ¿Estás de acuerdo con su visión?

DESPUÉS DE LEER

14. Escribe cinco cosas nuevas que has aprendido en este libro.

15. En algunas partes del texto, una acción pasada se narra en presente. Busca ejemplos de esta técnica en el libro. ¿Qué sensación te produce? Explícalo en tu lengua. Aquí puedes leer un ejemplo:

> Ramón saluda a los 15 hombres, les da la mano uno a uno. «Mucho gusto, Ramón», se presenta. Cuando le preguntan qué le parecen los hombres, el gallego responde con desprecio: «Me parecen todos unos comemierdas». Los soldados, nerviosos ante el insulto, no dicen nada, hasta que uno de ellos empieza de pronto a reírse. Ha reconocido la voz de Ramón. Es una voz que conoce muy bien. «¡Muchachos, es el Che!», grita. El doctor se quita las gafas, la corbata y la camisa blanca; se pone su vieja camisa de color verde olivo y su gorra militar. Sonríe. Ramón, el gallego, se ha transformado en Ernesto, el argentino, el comandante Che Guevara.

16. Vuelve a escuchar el texto del recuadro «Che» (pista 06) y lee tu respuesta a la actividad 1. ¿Coincide?

LÉXICO

17. Completa este mapa conceptual sobre la Revolución cubana:

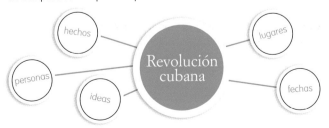

18. Escribe al menos cinco palabras o expresiones relacionadas con cada uno de estos aspectos:

a) la personalidad del Che, su forma de ser: *capaz de superar cualquier obstáculo*

b) la situación política y económica en Latinoamérica en los años cincuenta y sesenta: *gobiernos corruptos en varios países*

c) ideología del Che: *lucha por la justicia social*

¿Qué relación crees que tienen los tres aspectos (personalidad, situación política e ideología) entre sí?

CULTURA

19. Todos estos conceptos aparecen en el libro. ¿Los conoces? Relaciona cada uno con su definición y comprueba después con las notas culturales.

1) gallego

2) yerba mate

3) la pampa

4) aimara y quechua

5) Pachamama

6) república bananera

7) asalto al Moncada

8) José Martí

9) guajiro

10) guerra de guerrillas

a) extensa región de Argentina en la que viven los gauchos.

b) intento de asalto a este lugar dirigido por Fidel Castro.

c) nombre que se da a los campesinos en Cuba.

d) político, filósofo y poeta cubano muy importante en el movimiento de independencia cubano.

e) nombre que se les da en muchos países de Latinoamérica a los españoles o sus descendientes.

f) etnias indígenas de Latinoamérica.

g) planta con la que se hace una infusión muy popular en Argentina.

h) táctica militar que se basa en pequeños ataques a un ejército más poderoso.

i) diosa principal entre las creencias religiosas de los Andes centrales de América del Sur.

j) país pobre gobernado por una dictadura corrupta y con una economía basada sobre todo en la agricultura.

INTERNET

20. Busca en Internet un mapa del mundo e imprímelo. Dibuja sobre él los lugares en los que estuvo el Che y escribe al lado qué hizo en cada uno.

21. Busca en Internet el tango *Volver*, de Carlos Gardel y la canción *Hasta siempre, comandante*, de Carlos Puebla. Puedes buscar también su letra. ¿Cuál te gusta más? ¿Por qué?

SOLUCIONES

1.

«Che» es una palabra que se repite a menudo en Argentina al hablar. Ernesto Guevara la utilizaba mucho y por eso empezaron a llamarlo así.

7.

La Poderosa II era la moto en la que Alberto Granado y Ernesto Guevara hicieron su primer viaje por América.

Chichina es la chica de la que se enamoró Ernesto en su juventud.

Ernesto y Alberto se hicieron pasar por expertos en lepra y trabajaron en una leprosería en San Pablo, junto con el doctor Pesce.

Cuando Ernesto visitó Cuzco, se quedó impresionado por la ciudad. Estaba muy interesado en la cultura inca.

Víctor Paz Estenssoro era el presidente de Bolivia cuando Ernesto Guevara visitó el país en su primer viaje. Llevaba a cabo una política de izquierdas, pero a Guevara le pareció insuficiente.

La United Fruit Company era una empresa estadounidense dedicada a la explotación del terreno agrícola de Cuba y muchos otros países del Caribe. Para el Che representaba los peores valores del imperialismo estadounidense.

Hilda fue la primera mujer de Ernesto Guevara.

Jacobo Arbenz era el presidente de Guatemala cuando Ernesto visitó el país por primera vez. Realizó una reforma agraria que limitaba el poder de la United Fruit Company.

Canto a Fidel es un poema que escribió el Che cuando Fidel Castro lo sacó de la cárcel.

El Granma es el barco en el que viajaron los guerrilleros que hicieron la Revolución cubana, el Che y Fidel Castro entre ellos.

15.

Se trata de un efecto expresivo. Cuando el autor utiliza el presente para referirse al pasado, se convierte en testigo de una situación que recrea.

19.

1e, 2g, 3a, 4f, 5i, 6j, 7b, 8d, 9c, 10h

Notas